文法**を正しく使うための**

英語思考

のレッスン

鈴木健士 著
Taka Umeda 英文執筆協力

the japan times出版

はじめに

　人間は忘れる生き物です。私自身もスペイン語の学習を始め
てから、同じ文法の間違いを何度も繰り返してしまったり、基
礎的な単語を覚えられなかったりして、外国語を勉強すること
がどれほど大変なことなのか改めて思い知らされました。例え
ば、「昼ご飯」という意味のalmuerzoを記憶するのに何日も
かかってしまったくらいです。しかしどれほど時間がかかろう
とも、何度も繰り返せば、どんな表現でもやがて自分の血肉に
なって、自然と口をついて出てくるようになります。

　本書は、その「忘れやすさ」を念頭に置いて執筆しました。
これまで20年以上にわたってライティングやスピーキングを
指導する中で、生徒たちが同じミスを何度も繰り返すのを目に
してきましたが、この本ではそれを反復学習によって正せるよ
うになってもらうための工夫を随所に施しています。そして、
本書の特長はそれだけにとどまりません。文法や表現的なミス
のない英文にさらに磨きをかけて、アウトプットで使えるよう
にするためのコツも満載なのです。例えば、

　× We can <u>easily access to</u> the internet.
　○ We can <u>easily access</u> the internet.
　○ We can <u>have easy access to</u> the internet.
だけで終わりにせずに、主語を明確にしたり、easyの箇所を
unlimitedに置き換えて、

　Subscribers <u>have unlimited access to</u> exclusive content.
のような一層的確で具体的な英文を書けるようになるための方

法も解説しています。

　さらに、口語表現や、よりフォーマルな表現を紹介し、詳細な説明も加えることで、実際の会話や試験のライティングでの再現可能性が高まるように工夫しました。

　このように細部にまで趣向を凝らしたこの1冊が、みなさんの英語のアウトプットの力を高める一助となることを心から願っています。

 鈴木　健士

In my years of experience as an ESL teacher, I have encountered a misconception among countless English-language learners that the "secret sauce" of advanced vocabulary can enhance their fluency. Unfortunately, adding too much sauce to a dish can completely spoil the subtle flavors of the other ingredients. Likewise, using too many big words will most likely result in unnatural or even humorous writing unless one pays due attention to their connotations and collocations. This is where this book comes in: it will demonstrate how practical skills and strategies can help you enhance your ability to express yourself in English. My coauthor and I have poured our years of in-depth knowledge and expertise into this comprehensive work, deriving great pleasure from preparing it for your use. We hope that this volume serves as a missing piece to your proficiency in the world's lingua franca, thus bringing you the same level of joy as we have shared with each other.

　ESL（第二言語としての英語）講師としての経験を積む中で、レベルの高い語彙という「秘伝のソース」を使えば、英語が流暢になれると誤解しているたくさんの学習者に出会いました。しかし、料理にソースを加えすぎると、他の素材の繊細な風味を台無しにしかねません。同様に、ニュアンスやコロケーションにきちんと注意を払わずに難しい単語を使い過ぎると、不自然な英文になるだけでなく、滑稽なものになってしまうことさえあります。そこで本書の登場となるわけです。実践的なスキルや方法をご紹介し、英語での自己表現能力に磨きをかけるお手伝いをします。共著者と力を合わせて、長年培ってきた深い経験や知識を注ぎ込み、充実した書籍をみなさんに読んでいただけるよう努める中で、大きな喜びを得ることができました。本書で見つかったパズルのピースが世界の共通語を流暢に操る力となり、みなさんにも同じくらい喜んでいただけることになれば、うれしく思います。

 Taka Umeda

CONTENTS

Chapter 1 〈基本ルールのおさらい〉 短文でのミス60

Chapter

② 〈ルールの応用〉 **〜30ワードでの ミス15**

Chapter 3

アウトプット実践

140ワードのライティングに挑戦3

執筆協力	Azusa & Yuri(Inspire English)	ブックデザイン	岩永香穂(MOAI)
	小野貴彦(駿台予備学校)	イラスト	しまはらゆうき
	中澤俊介(駿台予備学校)	DTP	(株)創樹
		編集協力	大塚智美

本書は「日本人学習者に多い間違いを正す」→「さらに表現を工夫する」というプロセスを反復することで、読者がより洗練された英文をアウトプットできるようになることを目指しています。解答を理解できたからといってそこで終わりにせず、和訳を見て正しい英文が言えるようになるまで、徹底的に復習しましょう。

Chapter 1 〈基本ルールのおさらい〉 短文でのミス60

冠詞a, theの抜け、前置詞in, onの使い分け、動詞のニュアンスの違い、日本語からの直訳が原因となる間違いなど、よくある文法・語法のミスを短文の例でチェックします。

① 問題
どこが間違っているか探してみましょう。

② ルール・解説
先生と生徒による対話を通して押さえておきたいルールと内容を確認します。

③ 練習
内容が理解できたか確認しましょう。前のレッスンで学習した事項も復習できるようになってます。

2 〈 ルールの応用 〉 ～30ワードでの ミス15

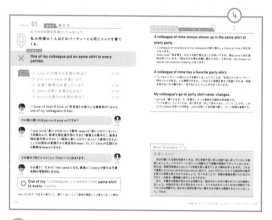

Chapter 1の内容を～30ワードの文で使いこなしましょう。さらにネイティブによる言い換え例を通して、より自然で多様な表現もチェックできます。

④ レベルアップ　ネイティブ講師による言い換えアイデア例です。

Chapter

3 〈 アウトプット 実践 〉 ～140ワードの ライティングに挑戦3

総まとめとして約140ワードのライティングに挑戦してみましょう。これまでのルール、表現のアイデアを実際に使って、自分のものにしましょう。

⑤ 問題・構成の流れ　提示されている構成の流れを意識して、英文をまとめてみましょう。　★大まかな構成についてはChapter 1のLesson 57～60を参照してください。

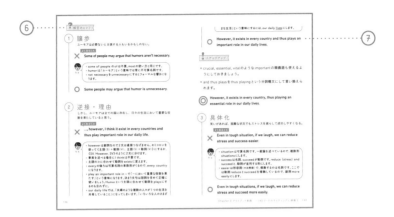

⑥ ········

① 譲歩

ユーモアは必要ないと主張する人もいるかもしれない。

× Some of people may argue that humors aren't necessary.

- some of people の of は不要。most の使い方と同じで。
- humor は「ユーモア」という意味では常に不可算名詞です。
- not necessary は unnecessary にするとフォーマルさが増します。

○ Some people may argue that humor is unnecessary.

② 逆接・理由

しかし、ユーモアはすべての国に存在し、日々の生活において重要な役割を果たしていると思う。

× ..., however, I think it exist in every countries and thus play important role in our daily life.

- however は副詞なので2文は接続つなげません。セミコロンを使って〈主節(i)；主節(ii)＋副詞(iv)〉にすると〈SV. However, SV〉のように2文に分けます。
- 単数主語＋3単現のsなので it think は不要です。
- 主語の it に対する動詞は exists に変えます。
- every の後ろは必ず単数形になるので、every country になります。
- play an important role in ～で「～において重要な役割を果たす」という意味になります。決まり文句の冠詞や前置詞も使いこなせるようにしましょう。Humorという主語に合わせて動詞も play にするのも忘れずに。
- our daily life では「夫婦の2人や複数の人々が1つの生活を共有していることになってしまいます。いろいろな人が各自の

⑦ ········

また各文という1番味にするには our daily lives にします。

○ However, it exists in every country and thus plays an important role in our daily lives.

🔺 ステップアップ 🔺

- crucial, essential, vital のような important の類義語も使えるようにしておきましょう。
- and thus plays は thus playing という分詞構文にして言い換えられます。

◎ However, it exists in every country, thus playing an essential role in our daily lives.

③ 具体化

笑いがあれば、困難な状況でもストレスを減らして成功しやすくなる。

× Even in tough situation, if we laugh, we can reduce stress and success easier.

- situation は可算名詞です。一般論を述べているので、複数形 situations にします。
- success は名詞、succeed が動詞です。reduce（stress）and succeed と、動詞が並列で素晴らしいです。
- easier は形容詞（比較級）で、接続するのは副詞です。ここでは動詞 reduce と succeed を修飾しているので、副詞 more easily にします。

○ Even in tough situations, if we laugh, we can reduce stress and succeed more easily.

---

⑥ **解答のヒント**

注意するポイントとして、よくあるミスを取り上げています。同じような間違いをしていないか確認しましょう。

⑦ **解答例**

○解答例、◎ステップアップの2パターンの解答例を掲載しています。さらに、よりレベルの高い表現のパターンを知りたい方は、レベルアップ①（ネイティブのアイデア）、レベルアップ②（フォーマルな表現）もチェックしてみましょう。①には比較的カジュアルな表現、②はフォーマルで汎用性の高い表現を多く取り入れています。

登 場 人 物

鈴木先生

通称すったけ先生。通訳翻訳という実用英語分野での経験を授業に還元し、学生の英語力アップに貢献できるよう日々奮闘している。

Taka先生

日系オーストラリア人。日本語能力検定N1を取得する中で培った日英の違いに関する知識を活かした効果的な指導に定評がある。

花子／太郎

幼なじみの学生。共に留学を目指しており、アウトプット能力を磨くために英語の勉強を続けている。

参考文献

井上永幸・赤野一郎編『ウィズダム英和辞典　第4版』三省堂, 2018年.

市川繁治郎編『新編 英和活用大辞典〈特装版〉』研究社, 2021年.

南出康世・中邑光男編『ジーニアス英和辞典　第6版』大修館書店, 2022年.

竹林滋編『新英和大辞典　第6版』研究社, 2002年.

ランダムハウス英和大辞典第二版編集委員会編『ランダムハウス英和大辞典　第2版』小学館, 1993年.

高橋作太郎編『リーダーズ英和辞典　第3版』研究社, 2012年.

松田徳一郎・高橋作太郎・佐々木肇・東信行・木村建夫・豊田昌倫編『リーダーズ・プラス』研究社, 2000.

Collins COBUILD. COBUILD *Advanced Learner's Dictionary*. HarperCollins Publishers, 2014.

Merriam-Webster, *Merriam-Webster's Advanced Learner's English Dictionary*. Merriam-Webster, 2016.

McIntosh, C., Francis, B., Poole, R., eds. *Oxford Collocations Dictionary For Students of English app edition*. Oxford University Press, 2020.

Oxford Languages. *Oxford Dictionary of English*. Oxford University Press, 2010.

Oxford Languages. *Oxford Thesaurus of English*. Oxford University Press, 2009.

＊英文はよりよい表現を目指すための解答例です。

＊練習問題には既出内容の復習も含まれています。

＊日本語訳は効果的な練習が行えるように、直訳になっている箇所と意訳になっている箇所があります。

＊S（主語）、V（動詞）、O（目的語）、C（補語）と省略して記載している箇所があります。

基 本 ル ー ル の お さ ら い

短文での
ミス60

まずは英語学習者がよく間違えるポイントを
60のレッスンで確認します。
英文法のおさらいとして、
忘れている部分がないかチェックしましょう。
各レッスンの練習問題は、後半にかけて難易度が上がっていきます。

Lesson 01 可算名詞・不可算名詞の鉄則

以下の日本語を英語にしてみましょう。

コウキは高校生だった。

よくあるミス

✕ **Koki was high school student.**

ルール 丸々そのまま1つの物には a/an が必要。

先生　まず a chicken と chicken の違いを考えてみよう。可算名詞の a chicken は「鶏1羽」という意味、それをさばいて「鶏肉」にすると不可算名詞の chicken になる。切っても切っても鶏肉は鶏肉。そういうものを数えるときは、piece を使って a piece of chicken になるよ。

確かにフライドチキン屋でも1ピースって言いますね。

太郎

先生　そうだね。じゃあ、a paper と paper はどう違うかな？

可算名詞の a paper は「論文」とか「レポート」っていう意味ですね。

花子

太郎　レポートをシュレッダーにかけたら、ただの紙切れになる。切っても切っても紙は紙。だから不可算名詞の paper は「紙」って意味になるってことか。

その通り。「高校生」は「鶏」や「レポート」と同じ可算名詞だから、a high school student にしないといけないんだよ。

先生

〇 **Koki was a high school student.**

練習 ▷ 次の英文の誤りを正しましょう。

❶ Kaoru's jersey was covered in a mud.

❷ I met outstanding teacher yesterday.

❸ Malta is anglophone country. *anglophone 英語を話す

❹ Hide has an apple on his face.

❺ James is stock trader.

❻ My son wants to be two-way baseball player.

❼ This is the last time I'll ever take plane.

解答

❶ a mud → mud
❷ outstanding teacher → an outstanding teacher
❸ anglophone country → an anglophone country
❹ an apple → a piece of apple
❺ stock trader → a stock trader
❻ two-way baseball player → a two-way baseball player
❼ plane → a plane

ここでは「泥」と「原型を留めていないりんご」以外、可算名詞です。

訳 ▶
❶ カオルのジャージは泥だらけだった。
❷ 昨日、すばらしい先生に会った。
❸ マルタは英語圏の国だ。
❹ ヒデの顔にりんごのかけらが付いている。
❺ ジェームズは株式トレーダーだ。
❻ 私の息子は二刀流の野球選手になりたがっている。
❼ 飛行機に乗るのはこれが最後だ。

Lesson 02 可算名詞・不可算名詞（コツ1）

 以下の日本語を英語にしてみましょう。

日本は民主主義国家だ。

 よくあるミス

✕ **Japan is democracy.**

 ルール　抽象概念は不可算名詞、具体化したら可算名詞。

先生　beautyとa beautyの違いについて考えてみよう。不可算名詞の beautyは「美しさ」という抽象的な意味で、可算名詞のa beautyは 具体例な「美しい人や物」を指すよ。例えば、買ったばかりの車をうっとり眺めている人がいるとする。その人が口にするのはThis is beauty. とThis is a beauty. のどっちかな？

> This is a beauty. ですね。車っていう具体的な「美しい物」の話をしているから。 太郎

花子　車を切り刻んだらただの鉄クズになるから、可算名詞になるのも納得できます。

> 同じように「日本」は「民主主義が具体化した国」だから、a democracy になるよ。 先生

花子　同じ名詞でも、抽象か具体か考えるのが大切ですね。

⭕ **Japan is a democracy.**

① It is rare to find love like this.

② We invested in new technology for our home security.

③ Isaac Newton made a lot of game-changing discovery.

④ Shohei has passion for baseball.

⑤ Many criminals have developed hatred for society.

⑥ Jenny has experience in the field of astrology.

解答

① love → a love　例えば「花子の太郎への愛」のような具体的な愛。
② new technology → a new technology　防犯用の具体的な科学技術製品。
③ discovery → discoveries　万有引力の法則のような多くの具体的な発見。
④ passion → a passion　野球に対する具体的な情熱。
⑤ hatred → a hatred　社会に対する具体的な嫌悪。
⑥ experience → an experience　占星術という分野での具体的な経験。

訳 ▶
① こんな愛はめったに見つからない。
② 家の防犯のために新しい機器に投資した。
③ アイザック・ニュートンは数多くの革新的な発見をした。
④ ショウヘイは野球に情熱を持っている。
⑤ 多くの犯罪者は社会に対する憎しみを抱くようになった。
⑥ ジェニーは占星術の分野での経験がある。

Lesson 03 — 可算名詞・不可算名詞（コツ2）

以下の日本語を英語にしてみましょう。

犬は賢い。

よくあるミス

✕ **Dog is smart.**

ルール 可算名詞の一般論は原則として裸の複数形。

先生：a horseとhorseの違いについて考えてみよう。

太郎：「鶏1羽」のa chickenと「鶏肉」のchickenの違いと同じですよね。

花子：だから可算名詞のa horseは「馬1頭」という意味になる。

太郎：さばいて「馬肉」にすると不可算名詞のhorseになるよね。

先生：それを意識すると、Dog is smart. だとおかしいことがわかるんじゃないかな。

太郎：a dogは「犬1匹」、dogは「犬肉」という意味になってしまいますね。

先生：その通り。それを踏まえて「犬は賢い」を英語にするとどうなるかな？

花子：Dogs are smart. ですね。

先生：正解！ 「犬は全般的に賢い」のように、<u>可算名詞を使って一般論を述べる場合には、裸の複数形を使うのが普通</u>だよ。

> The dogs are smart. みたいに定冠詞を付けるとどうなりますか？
>
> 太郎

「例の犬たち」に聞こえるね。話し手と聞き手に共通の理解があって、説明しなくてもハチ、スヌーピー、ポムポムプリンのことだとわかるような状況だよ。

先生

○ Dogs are **smart.**

 次の英文の誤りを正しましょう。

❶ Child loves bug.

❷ Cat is quite independent.

❸ Book has contributed to the development of civilization.

❹ Orange is rich in vitamin C.

❺ Professor is walking dictionary in their fields.

❻ Gas-fueled car pollutes the atmosphere.

解答

❶ Child loves → Children love
❷ Cat is → Cats are
❸ Book has → Books have
❹ Orange is → Oranges are
❺ Professor is walking dictionary → Professors are walking dictionaries
❻ Gas-fueled car pollutes → Gas-fueled cars pollute

子ども、猫、本、オレンジ、教授、自動車も、全て馬や犬と同じ可算名詞です。

訳 ▶
❶ 子どもは虫が大好きだ。
❷ 猫はかなり自立している。
❸ 本は文明の発展に貢献してきた。
❹ オレンジはビタミンCが豊富だ。
❺ 教授は専門分野では生き字引だ。
❻ ガソリンを燃料とする自動車は大気を汚染する。

Lesson 04 可算名詞・不可算名詞（コツ3）

以下の日本語を英語にしてみましょう。

情報 は 大切 だ。

よくあるミス

✗ **The information is important.**

ルール 不可算名詞の一般論は無冠詞。

先生

可算か不可算かで意味合いが違ってくる名詞について確認してきたけれど、information のように、常に不可算名詞で使うものがあるから覚えておく必要があるよ。

an information や informations にはならないってことですね。

花子

先生

その通り。そういった不可算名詞を使って「情報は大切だ」などと一般論を述べる場合は、冠詞は付けずにそのまま使うんだ。

Information is important. になるってことですか？

太郎

先生

正解。The information にすると、どんな意味になると思う？

「例の情報」に聞こえます。

花子

先生

その通り。《the ＋不可算名詞》にすると、話し手と聞き手に共通の理解があって、補足説明をしなくても分かり合えるような状況で使うんだ。

⭕ Information is **important.**

① The news is the lifeblood of society. *lifeblood　生命線、重要事項

② The knowledge can be powerful weapon.

③ The advice from teacher plays essential role in learning English.

④ The rice is high in carbohydrates. *carbohydrates　炭水化物

⑤ The money can't solve all of humanity's problems.

⑥ Ignorances sometimes increase fear.

⑦ We are specialized in custom-made furnitures.

解答

● The news → News
● The knowledge → Knowledge / powerful weapon → a powerful weapon
● The advice → Advice / teacher → teachers / essential role → an essential role
● The rice → Rice
● The money → Money
● Ignorances → Ignorance / increase → increases
● furnitures → furniture

news, knowledge, advice, rice, money, ignorance, furniture は不可算名詞、weapon、teacher, role は可算名詞です。society と fear は抽象的な意味なら不可算名詞、具体的な意味なら可算名詞になります。

訳 ▶
① ニュースは社会の生命線だ。
② 知識は強力な武器になりうる。
③ 先生たちからのアドバイスは英語学習において重要な役割を果たす。
④ 米は炭水化物が多い。
⑤ お金で人類のすべての問題を解決することはできない。
⑥ 無知が恐怖を増大させることがある。
⑦ 私たちはオーダーメイドの家具を専門としている。

Lesson 05

不可算名詞が 可算名詞になるとき

以下の日本語を英語にしてみましょう。

私たちは豪華なディナーを食べた。

よくあるミス

✗ **We had great dinner.**

ルール

普通は不可算名詞でも、種類を言う場合には可算名詞扱いのものも。

先生
普通 breakfast は不可算名詞だけれど、形容詞が付くと可算名詞扱いになるんだよ。単純に朝食を食べたという場合は、I had breakfast. になるけれど、軽い朝食の場合には、I had a light breakfast. になる。イギリスの伝統的な朝食の場合にも、I had a full English breakfast. のように a が付くんだよ。こんなふうに普通は不可算名詞でも、形容詞が付いて種類を表す場合には、可算名詞扱いをするものがあるんだ。

lunch の場合も同じってことですね。「早めのランチ」なら、an early lunch になる。
花子

太郎
dinner の場合も同じで、「遅めのディナー」なら a late dinner になりますね。

その通り。同じように「豪華なディナー」なら a great dinner になるね。the world のように基本的に《the ＋名詞》で使うものにも同じことが言えるよ。It's a small world. がわかりやすい例だね。
先生

○ **We had a great dinner.**

❶ I skipped a lunch today.

❷ Hard work will translate into the bright future.

❸ We sampled some expensive wines.

❹ I couldn't have asked for better childhood.

❺ I need something more than strong coffee to get me through the night.

❻ Before her passing, my mother lived life of joy and happiness.

解答

❶ a lunch → lunch
❷ the bright future → a bright future
❸ このままでよい。さまざまな種類の「高価なワイン」について述べているため。
❹ better childhood → a better childhood
❺ strong coffee → a strong coffee
❻ life → a life　a life of joy and happiness は形容詞のかたまり。

work は「仕事」という意味では常に不可算名詞なので、hard のような形容詞が付いても不定冠詞の a が付くことはありません。同じことが advice, fun, homework, news, progress, weather にも言えます。例えば great advice や rapid progress のように、不定冠詞が付かない形で使うということです。辞書で例文を確認する癖をつけましょう。

訳 ▶
❶ 今日はランチを抜いた。
❷ 努力は明るい未来につながる。
❸ 私たちはワインを何種類か試飲した。
❹ 私はこれ以上の子ども時代は望めなかった [最高の子ども時代だった]。
❺ 夜を乗り切るには、濃いコーヒー以上のものが必要だ [濃いコーヒーだけでは足りない]。
❻ 母は生前、喜びと幸福に満ちた人生を送っていた。

Lesson 06 ── 定冠詞の鉄則

以下の日本語を英語にしてみましょう。

私たちは同じスマホを買った。

よくあるミス

 We bought same smartphone.

ルール 1つに決まるものには the が付く。

先生
「昨日タクシーに乗ったら、運転手が友達だった」を英語にすると、I took a taxi yesterday, and the driver turned out to be a friend of mine. になるね。この文で運転手が the driver になっているのはどうしてかな?

乗ったタクシーの運転手は1人に決まるからです。
花子

先生
その通り。それじゃあ、「魚は冷凍庫に入れておいてね」を英語にすると?

Keep the fish in the freezer. になると思います。聞き手も話し手も、どの魚をどの冷蔵庫に入れたらいいのかわかっているからです。

太郎

先生
お見事! 「例の魚を例の冷蔵庫に」というニュアンスだね。そんなふうに、文脈や状況から名詞が1つに決まる場合には、the を付けるんだ。

「同じスマホ」の場合にも、1種類に決まるから、the same smartphone になりますね。

花子

先生
その通り!

We bought the same smartphone.

練習 次の英文の誤りを正しましょう。

1 I let out truth to him.

2 20th century saw a lot of deadly wars.

3 Shinji was a member of 2002 Japan national football team.

4 Most of students in the room were same age as me.

5 Japanese government urged citizens to save energy during the summer months.

6 Principal of my school is known for her dedication to students' success.

7 The unexpected resignation of president of that car company sent shockwaves throughout industry.

解答

1 truth → the truth　真実は1つに決まる。

2 20th century → The 20th century　序数には原則theが必要。

3 Japan national football team → the 2002 Japan national football team
国代表のサッカーチームは1つに決まる。

4 students → the students / same age → the same age
同い年であれば、年齢は1つに決まる。

5 Japanese government → The Japanese government　日本政府は1つに決まる。

6 Principal → The principal　自分の学校の校長は1人に決まる。

7 president → the president / industry → the industry　その自動車会社の社長とその業界は1つに決まる。send shockwaves throughout ~ で「~中に衝撃を与える」。

訳 ▶
1 私は彼に真実を漏らしてしまった。
2 20世紀には多くの悲惨な戦争があった。
3 シンジは2002年サッカー日本代表チームの一員だった。
4 その部屋にいた学生のほとんどは私と同い年だった。
5 日本政府は夏の間、国民に節電を呼びかけた。
6 私の学校の校長は生徒の成功のために努力を惜しまないことで知られている。
7 その自動車会社の社長の突然の辞任は、業界全体に衝撃を与えた。

Lesson 07 カタカナ語の集合名詞

以下の日本語を英語にしてみましょう。

私はこの会社のスタッフです。

よくあるミス

✕ **I am a staff of this company.**

ルール a staff は a group と同じイメージ。

先生

I am a group. という英語を見たらどう思う？

「私＝グループ」は変ですね。「私＝グループの１人」なので。
花子

太郎

だから I am a group member. にしないといけない。

そうだね。staff はその group と同じ種類の名詞で、「組織に雇われている人たち全員」という意味になるんだ。

先生

花子

「私はその中の１人」ということだから、I am a staff member. にしないとダメですね。

その通り！　カタカナ語の直訳には注意しよう！

先生

○ **I am a staff member of this company.**

❶ A crew greeted me when I boarded the plane.

❷ Tomo was an audience of the smash hit comedy show.

❸ As a jury, Hide felt the weight of responsibility.

❹ Jack was a former army.

❺ I had an important role as a party.　*party　政党

❻ One of my coworkers turned out to be a mafia.

❼ Being a choir helped Naomi build confidence.　*choir　合唱団

解答

❶ A crew → A crew member
❷ an audience → an audience member
❸ a jury → a jury member
❹ a former army → a former army member.
❺ a party → a party member
❻ a mafia → a mafia member
❼ a choir → a choir member

上記の名詞は全て、group や staff と同じく可算の集合名詞です。カタカナ語は辞書を引いて使い方を確認する癖をつけましょう。

訳 ▶

❶ 飛行機に乗ると、乗務員（の1人）があいさつしてくれた。
❷ トモはその大人気のお笑い番組の観客だった。
❸ ヒデは陪審員として責任の重さを感じていた。
❹ ジャックは元軍人だった。
❺ 私は党員として重要な役割を持っていた。
❻ 同僚の1人がマフィアであることがわかった。
❼ 合唱団員だったことが、ナオミの自信につながった。

冠詞＋名詞

Lesson 08 — one の使い方

以下の日本語を英語にしてみましょう。

日本米とタイ米のどちらが好きですか？

よくあるミス

✕ **Which do you like better, Japanese rice or Thai one?**

ルール 不可算名詞を受ける際に one は使えない。

花子

oneは「a＋可算名詞の言い換え」だって習いました。

よく覚えていたね。それを活かして「この部屋にはパソコンがないから、買わないといけない。」を英語にすると？

先生

花子

This room doesn't have a computer, so we need to buy one. になります。パソコンは鶏や馬と同じ数えられる名詞だから、a computer を one にできますね。

その通り。でも不可算名詞の rice は one にできないんだ。

先生

太郎

それならJapanese rice or Thai rice はそのままにするしかないですか？

そのままでも大丈夫。でも同じ言葉の繰り返しを避けるために、前後どちらかの rice を省略する方法もあるよ。

先生

花子

Japanese or Thai riceか、Japanese rice or Thai にするってことですね。

お見事。もう1問やってみようか。「この腕時計は好きじゃない。違うのが欲しい」の「違うのが欲しい」を英語にすると？

先生

太郎

I want different one.です。腕時計は数えられるからoneが使えますね。

実はdifferent oneをa different oneにしないといけないんだ。形容詞がoneを修飾している場合は、冠詞が必要だよ。

先生

○ **Which do you like better, Japanese (rice) or Thai rice?**

練習 ▷ 次の英文の誤りを正しましょう。

❶ This information is the latest one.

❷ The color of this hat is not to my liking. I prefer red one.

❸ The mid-term exam is likely to be easy one.

❹ We will have to scrap this idea, so can you come up with better one?

解答

❶ one を取る。information は不可算名詞の代表格。
❷ red one → a red one
❸ easy one → an easy one
❹ better one → a better one

口語表現のGood one!(いいね!)のように、主語(S)と動詞(V)を省略して補語(C)だけを言う際には無冠詞になることはありますが、文の中ではHave a good one. やThat's a good one. のように冠詞が必要です。

訳 ▶
❶ この情報は最新のものだ。
❷ この帽子の色は私の好みではない。赤い方が好きだ。
❸ 中間試験は簡単なものになりそうだ。
❹ このアイデアは破棄しなくてはならないから、もっといいアイデアを考えてくれないかな?

Lesson 09

単数・複数に対する意識改革

以下の日本語を英語にしてみましょう。

庭に花が咲いている。

単数か複数か考えずに英語にしてしまう

 There is a flower blooming in the garden.

ルール 常に単数・複数を意識する。

先生

「庭に花が咲いている」は英語でどう表せるかな？

There is a flower blooming in the garden. では間違いですか？

太郎

先生

間違いだとは言えないけれど、正解だとも言えないんだ。

どうしてですか？

花子

先生

日本語だと、咲いている花が1輪なのか2輪以上なのか曖昧だからだよ。

あ、1輪なら There is a flower blooming in the garden. になるけれど…。

太郎

花子

2輪以上なら There are flowers blooming in the garden. になるってことですね。

その通り。なるべく情景を思い浮かべながら単数・複数を意識して英語にすることが大切だよ。

先生

> 花が1輪咲いている場合:
> **There** is a flower **blooming in the garden.**
> 花が2輪以上咲いている場合:
> **There** are flowers **blooming in the garden.**

練習 ▷ 情景を思い浮かべながら単数・複数を意識して次の文を英語にしてみましょう。

❶ リンゴが半分腐っている。

❷ 子犬はリードでつないでください。

1匹?　　　　　　　　複数?

解答

❶ リンゴが1個の場合:Half of the apple has gone bad.
　　リンゴが複数の場合:Half of the apples have gone bad.

❷ Put the puppy on a leash.　子犬が1匹の場合はリードも1本。
　　Put the puppies on leashes.　子犬が複数の場合はリードも複数。

「リンゴが腐っている」という場合、話し手と聞き手の両方がどのリンゴのことかわかっているので、定冠詞 the が必要です。また the apple は「その原型をとどめていないリンゴ」という意味にも取れます。

Lesson 10 《one of the ／所有格＋複数名詞》の使い方

以下の日本語を英語にしてみましょう。

新宿は世界屈指の繁華街だ。

よくあるミス

✕ **Shinjuku is one of the busiest shopping district in the world.**

ルール 「〜の中の1つ」は《one of the ／所有格＋複数名詞》。

先生

「私の生徒の1人は英語を話す」を英語にしてみよう。

One of my student speaks English. になりますね。

太郎

花子

One of my students speaks English. ですよね？　「複数の生徒がいる中の1人」が英語を話すということだから。

その通り。じゃあ「富士山は世界で最も有名な山の1つだ」を英語にすると？

先生

太郎

Mt. Fuji is one of the most famous mountains in the world. になります。

お見事。それじゃあ、「世界屈指の繁華街」の場合は？

先生

花子

「世界で最も賑やかな街の1つ」ってことだから、one of the busiest shopping districts in the world にしないといけないですね。

そうだね。油断すると上級者でもここを単数形にしてしまうことがあるから気をつけよう。ちなみに in the world を the world's にして、one of the world's busiest shopping districts にすることもできるから、あわせて覚えておこう。

先生

> **○** Shinjuku is one of the busiest shopping districts in the world [the world's busiest shopping districts].

練習 ▷ 次の英文の誤りを正しましょう。

❶ Tom is one of my dearest son.

❷ This is one of the largest bookstore in Tokyo.

❸ One of the applicant made it through the interview.

❹ Population aging is one of Japan's most pressing issue.

❺ Jimmy is one of the most underrated boxer in the world.

❻ Australia is one of the world's most prosperous nation.

❼ This could be one of the least formidable challenge we have ever come across. *formidable 手ごわい

解答

❶ son → sons
❷ bookstore → bookstores
❸ applicant → applicants
❹ issue → issues
❺ boxer → boxers
❻ nation → nations
❼ challenge → challenges

訳 ▷
❶ トムは私の愛する息子の1人だ。
❷ これは都内屈指の大型書店だ。
❸ 応募者の1人が面接を通過した。
❹ 人口高齢化は日本の最も差し迫った問題の1つだ。
❺ ジミーは世界で最も過小評価されているボクサーの1人だ。
❻ オーストラリアは世界で最も繁栄した国の1つだ。
❼ これは私たちがこれまでに遭遇した中で最も手ごわくない挑戦の1つかもしれない。

Lesson 11 《every + 名詞》の使い方

 以下の日本語を英語にしてみましょう。

このクラスの学生たちは、みんな英語学習に熱心だ。

よくあるミス

 ✕ **Every students in this school study English very hard.**

ルール every の後ろは可算名詞の単数形。

先生

「僕にとって毎日が特別なんだ」を英語にするとどうなる?

> Every day is special for me. になります。
>
> 花子

先生

そうだね。「毎日」を Every days にする人はいないよね。every の後ろに他の名詞がくる場合にも、同じように可算名詞の単数形を使うんだよ。

> だから、Every students in this school study English very hard. じゃなくて、Every student in this school study English very hard. にするってことですね。
>
> 太郎

先生

惜しい! それだとまだ正しい英文にはなっていないよ。

> Every day is special for me. と同じように、単数扱いになるから、Every student in this school studies にしないといけないですね。
>
> 花子

先生

その通り。Every teacher and student in this school のように、後ろに単数名詞が複数続いていても、単数扱いだから気をつけよう。

> Every teacher and student in this school studies English very hard. になるってことですね!
>
> 太郎

先生

正解！ everyの使い方を忘れたら、every dayを思い出そうね。

○ Every student **in this class** studies English very hard.
(Every teacher and student **in this school** studies English very hard.)

練習 次の英文の誤りを正しましょう。

❶ Every employees have to sift through their emails each day.

❷ Every failures put you one step closer to your dreams.

❸ Every nations must do their bit to protect the natural environment.

❹ During the fireworks festival, every cats and dogs in my neighborhood were barking or meowing.

解答

❶ Every employees have → Every employee has
特に性別が重要でない《every ＋ 人》は、このように theirで受けることが多い。
❷ Every failures put → Every failure puts
put A one step closer to B で「AをBに近づける」。
❸ Every nations → Every nation
❹ every cats and dogs → every cat and dog / were → was

訳 ▶
❶ 従業員はみんな毎日メールにしっかり目を通さなければならない。
❷ 1つ1つの失敗があなたを一歩夢に近づけてくれる。
❸ どの国も自然環境を守るために自国の役割を果たさなければならない。do one's bit to do で「〜するために本分を尽くす」。
❹ 花火大会の間、近所の犬や猫はみんな吠えたり鳴いたりしていた。

Lesson 12 アポストロフィーの心得

以下の日本語を英語にしてみましょう。

学生の行動は変化してきている。

 Student's behavior is changing.

 所有のアポストロフィーは単数・複数に注意。

先生 chickenとa chickenとchickensの違いを覚えているかな?

「鶏肉」と「鶏1羽」と「複数の鶏」ですね。
太郎

先生 よく覚えていたね。アポストロフィーを付けると、それぞれchicken'sとa chicken'sとchickens'になるよ。どんな意味になるかな?

「鶏肉の」と「鶏1羽の」と「鶏たちの」という意味になります。
花子

先生 そうだね。じゃあ chicken's first love、a chicken's first love、chickens' first loveの違いは?

「鶏肉の初恋」と「1羽の鶏の初恋」と「複数の鶏の初恋」ですか?
太郎

先生 その通り! 鶏肉は恋に落ちないね。

a studentとstudentsの所有格も同じやり方ですね。
花子

先生 そうだね。「学生の行動」を英語にするとどうなるかな?

1人の場合は a student's behavior になりますね。複数だったら、students ...

太郎

先生

複数形だったら、students' というふうに、s の後ろにアポストロフィーを打つだけ。

students' behavior になるってことですね。

太郎

先生

お見事！ a student や students のように、きちんと冠詞や複数形の s を付けて整えたものにアポストロフィーを加えることを心がけよう。

○ a student's **behavior**
  students' **behavior**

練習 ▷ 次の英文の誤りを正しましょう。

❶ 学生たちの知識欲が教師のやる気を引き出す。

Student's hunger for knowledge motivates their teachers.

❷ この革新的なプログラムは、女子たちのリーダーシップ能力の育成を目的としている。

This innovative program is designed to foster the development of girl's leadership skills.

❸ 私の祖父母の家を訪れると、いつも過去にタイムスリップしたような気持ちになった。

A visit to my grandparent's house always left me feeling like I was stepping back in time.

解答

❶ Student's hunger → Students' hunger
❷ girl's leadership skills → girls' leadership skills
❸ my grandparent's → my grandparents'

Lesson 13 「ほとんどの」を表す

以下の日本語を英語にしてみましょう。

ほとんどの人は幸せになりたいと思っている。

よくあるミス

✕ **Most of people want to be happy.**

ルール 一般論を言うときは、名詞に most を直接付ける。

太郎
> Most of people want to be happy. で完璧だと思います。

> ofはいらないんじゃない？　Most people want to be happy. になると思う。
>
> 花子

先生
> その通り。文法的には many と同じ使い方だよ。意味は違うけどね。

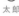
> 確かに many of people ではなく、many people と言いますね。
>
> 太郎

先生
> ただし the people や my students のように、定冠詞や所有格代名詞が付いているときは most <u>of the</u> people や many <u>of my</u> students のように of が必要になるんだよ。

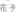
> most of the だと、「特定のグループのほとんど」という意味になりますね。
>
> 花子

先生
> その通り！　固有名詞の場合には most of Japan のように定冠詞や所有代名詞がなくても of が必要になるから、それも覚えておこう。

⭕ Most **people want to be happy.**

some や many も同様に考える。

例 ▶

Many **people speak English in this country.**
この国では多くの人が英語を話す。

Many of my **students speak English.**
私の生徒の多くが英語を話す。

Some **people love spicy food.** 辛い食べ物が好きな人もいる。

Some of the **participants in the meeting fell asleep.**
会議の出席者には寝てしまった人もいた。

練習 ▶ 次の英文に誤りがあれば正しましょう。

1 **Most of my students aced the test.** *ace 口語で「高得点を取る」

2 **Most of teachers go above and beyond their duty.**

3 **Most of dogs love interacting with their human companions.**

4 **In this area, most of small to medium enterprises have gone under.**

5 **Most of Tibet is sparsely populated, with vast areas of untouched wilderness stretching as far as the eye can see.**

解答

1 このままでよい。
2 Most of teachers → Most teachers　go above and beyond で「〜以上の貢献をする」。
3 Most of dogs → Most dogs
4 most of small → most small　go under で「倒産する」。
5 このままでよい。sparsely で「まばらに」。

訳 ▶

1 私の学生のほとんどはテストで満点を取った。
2 ほとんどの先生は職務以上のことをする。
3 ほとんどの犬は飼い主と触れ合うのが大好きだ。
4 この地域では、ほとんどの中小企業が潰れている。
5 チベットの大部分は人口がまばらで、手つかずの荒野が見渡す限り広がっている。

Lesson 14 ─ almostの使い方

以下の日本語を英語にしてみましょう。

このクラスの学生たちのほとんどがその試験に合格した。

よくあるミス

✕ **Almost of the students in this class passed the exam.**

ルール almostは副詞。almost＋名詞やalmost of＋名詞は間違い。

先生

「彼は危うく終電を逃すところだった」を英語にするとどうなる？

He almost missed the last train. になります。

太郎

花子

almostはmissedという動詞を修飾しているから、副詞ですね。

先生

その通り。副詞は「名詞以外を修飾する言葉」のことだよ。almostは「100%まであともう少し」という意味だから、後ろにallやeveryのような100%を表す言葉が続くことが多いんだ。almost allやalmost everyのかたまりで覚えておくと使いやすくなる。

花子

Almost all of the students in this class passed the exam. みたいに使えるってことですね。

先生

その通り。《all of the＋名詞》や《all of＋所有格＋名詞》の場合には、ofは省略可能だから、Almost all the students in this class passed the exam. にもできるよ。

太郎

everyを使うと、Almost every students in this class passed the exam. にできますね。

花子

everyの後ろは単数にしないとダメじゃない？

先生

その通り。Almost every student in this class passed the exam.に
なるってことだね。少し意味合いは弱くなるけれど、Most of the
students in this class passed the exam.もありだね。

○ Almost all (of) the students in this class passed the
exam.
Almost every student in this class passed the exam.
Most of the students in this class passed the exam.

練習 ▷ 次の英文の誤りを正しましょう。

❶ Almost participants in that meeting were full of anger.

❷ Almost of the players cried tears of joy at their historic
victory over Germany.

❸ Almost of mosquitoes in the area have been wiped out.

❹ Ben dozes off to dreamland in almost lectures.

❺ These customs officers frisk almost of passengers.

解答

*frisk 〜にボディーチェックをする

❶ Almost participants → Almost all (of) the participants [Almost every participant]
❷ Almost of the players → Almost all (of) the players [Almost every player]
❸ Almost of mosquitoes → Almost all (of) the mosquitoes have [Almost every
mosquito has]
❹ almost lectures → almost all (of) the lectures [almost every lecture]
doze offで「うとうとする」。
❺ almost of passengers → almost all (of) the passengers [almost every passenger]

訳 ▷
❶ その会議の参加者のほとんどは怒りに満ちていた。
❷ 選手のほとんどが、ドイツ戦での歴史的勝利に嬉し涙を流した。
❸ この地域の蚊はほとんど駆除された。
❹ ベンはほとんどすべての講義で居眠りをしている。
❺ この税関職員たちは、乗客のほとんどに身体検査をする。

Lesson 15 — 「簡単に」を表す（基礎編）

以下の日本語を英語にしてみましょう。

私たちは簡単に情報を得られる。

よくあるミス

✕ **We are easy to get information.**

ルール 「簡単に」は It is easy for ~ to *do* で表せる。

先生
「私たちは簡単に」という日本語に影響されて、We are easy to get information. のような文にしてしまう人が多い。これは間違いなんだよ。

It を仮主語にして、It is easy for us to get information. にすれば正しくなりますね。
花子

太郎
We can easily get information. もありだと思う。

2人とも正解だよ。It is easy for us to get information. の information のように、to *do* の目的語になっている名詞を主語にして、Information is easy to get for us. にすることはできる。でも It is easy for us to get information. の for us のように、to *do* の意味上の主語になっているものを主語にすることはできないんだ。
先生

太郎
We are easy みたいに人が主語になっているものは間違いって思っていいですか？

It is easy to please my father. であれば、to please の後ろの my father を主語にして、My father is easy to please. としても正しい文になる。だから人が主語になっていたら間違いと決めつけてしまうのは危険だよ。でも「簡単だ」とか「難しい」という内容を英語にする場合には、人じゃなくて It で始めるようにすると間違えなくなるね。
先生

> ⭕ It is easy for us **to get information.**

練習 ▷ 次 の 英 文 に 誤 り が あ れ ば 正 し ま し ょ う 。

❶ You are easy to draw a smiley face with a circle, two dots and a curved line.

❷ We are easy to stay in shape with regular excercise.

❸ Subtitled English-language movies are easier for me to understand.

❹ He is easy to whip up a delicious meal in half an hour.

❺ She is easy to swindle money from unsuspecting customers. *unsuspecting　疑うことを知らない　　swindle~　～をだまし取る

❻ Taka is easy to read, always speaking his mind clearly.

解答

❶ You are easy → It is easy for you
❷ We are easy → It is easy for us
❸ このままでよい。English-language movies は understand の目的語になるので。
❹ He is easy → It is easy for him　whip up ~ は「～を手早く作る」。
❺ She is easy → It is easy for her
❻ このままでよい。It is easy to read Taka ... の書き換え。

訳 ▶
❶ 丸1つと点2つと曲線1本だけで簡単にスマイリーフェイスが描ける。
❷ 定期的に運動すれば体型を保つのは簡単だ。
❸ 字幕付きの英語の映画の方が私にはわかりやすい。
❹ 30分でおいしい料理を作るのは彼にとって朝飯前だ。
❺ 疑うことを知らない顧客から金をだまし取るのは彼女にとってたやすい。
❻ タカはいつも本音を言うので、わかりやすい。

形容詞・副詞

Lesson 16 「簡単に」を表す（応用編）

以下の日本語を英語にしてみましょう。

インターネットのおかげで、私たちは簡単に情報を得られる。

何度も使いがちな英文

Thanks to the internet, it is easy for us to get information.

ルール 「簡単に」は A make it easy for B to *do* で表せる。

先生

Thanks to the internet, it is easy for us to get information. というのは正しい英文だけれど、他の言い方も覚えておこう。Thanks to the internet や If we use the internet のような出だしが多すぎると思ったら、Thanks to の目的語になっている the internet で始めてみよう。

無生物主語ですね。その後ろはどうなりますか？

花子

先生

A make it easy for B to *do* が使えるよ。「A は B が〜するのを簡単にしてくれる」、つまり「A のおかげで B は〜しやすくなる」という意味になるね。It is easy for us to get information. から is を取ったものを make の後につなげればいいんだ。it が to do 以下を指す仮目的語になっているんだよ。

そうすると、Internet make it easy for us to get the information. になりますね。

太郎

先生

スムーズに言えたのは素晴らしいことだけど、間違いが3つあるね。Internet ではなく The internet にしないといけない。internet は、同様に the が必要な world の仲間と考えていい。

なるほど。あと、The internet に合わせて動詞を makes にしないといけないですね。

太郎

 ここは一般的な情報の話だから、the information は information にしないと。

花子

Lesson 04 で学習したことをよく覚えていたね。

先生

> ⭕ **The internet** makes it easy for us to **get information.**

練習 > 次の英文を make を使って書き換えてみましょう。

❶ Through regular practice, it is easy for us to play this musical instrument.

❷ With subtitles, it is easier for me to enjoy movies.

解答

❶ Regular practice makes it easy for us to play this musical instrument.
❷ Subtitles make it easier for me to enjoy movies.

<u>Practicing</u> regularly にように動名詞を主語にする方法もあります。

訳 ❶ 定期的に練習すればこの楽器は簡単に演奏できる。
❷ 字幕があれば映画を楽しみやすくなる。

Lesson 17 「難しい」を表す

以下の日本語を英語にしてみましょう。

私は頭が痛かったので、宿題をするのが難しかった。

よくあるミス

✕ I had headache, so I was difficult to do my homework.

ルール 「難しい」は... make it hard [difficult] for ~ to *do* で表せる。

先生

まず、headacheは可算名詞だからa headacheにしないといけないね。

後ろの so I was difficult to do my homework. は、easyのときと同じ要領で、so it was difficult for me to do my homework. にすればいいですね。

花子

先生

お見事！ さらにこの《主語＋動詞, so 主語＋動詞》という英文を書き換えてみよう。英検でもライティングに要約問題が出題されるから、今後ますます言い換えは重要になるよ。

A headacheを主語にして、... makes it difficult for ~ to *do* が使えると思います。

太郎

A headache made it difficult for me to do my homework. にするってことね。

花子

正解！ 過去のことなのにmakeやmakesにしてしまう人も多いから気をつけよう。

先生

> **I had a headache, so** it was difficult for me **to do my homework.**
> ○ A headache made it difficult for me **to do my homework.**

練習 ▶ 次の英文を make を使って書き換えてみましょう。動詞の形に気をつけてください。

❶ I have noisy neighbors, so it is difficult for me to focus on work.

❷ I have a hectic work schedule, so it is hard for me to spend quality time with my family.

❸ The reception is weak, so it is challenging to make a phone call. *reception （電波の）受信状態

解答

❶ My noisy neighbors make it difficult for me to focus on work.
❷ My hectic work schedule makes it hard for me to spend quality time with my family.　spend quality time で「充実した時間を過ごす」。
❸ The weak reception makes it challenging to make a phone call.

訳 ▶
❶ 隣人がうるさくて私は仕事に集中しにくい。
❷ 多忙な仕事のスケジュールのため、家族と充実した時間を過ごしにくい。
❸ 電波が弱いので、電話をかけにくい。

Lesson 18

boringとboredの使い分け

以下の日本語を英語にしてみましょう。

何もすることがなかったので、私は退屈していた。

よくあるミス

✕ **I was boring because I had nothing to do.**

ルール boringは退屈させる側、boredは退屈させられる側。

先生

boringやboredは「退屈させる」という意味の他動詞boreからきている。例えば、「その映画は私を死ぬほど退屈させた」を英訳するとThe movie bored me to death. になるね。

主語である映画は「退屈させた側」、目的語の私は「退屈させられた側」ということですね。

太郎

先生

その通り。boreを形容詞にすると、退屈させる側はboring、退屈させられる側はboredになるんだよ。だからThe movie was <u>boring</u>. とI was <u>bored</u>. になるね。

I was boring. にするとどんな意味になりますか？

太郎

花子

「私は退屈させる側だった」っていう意味になっちゃうよね。

そうだね。自分が退屈しているときに、I am boring. と言ってしまうと、「私は退屈させる側の人」、つまり「私といると退屈するよ」という意味になってしまう。練習として、It was a (　　　) game. Hana had a (　　　) expression on her face. の空所を埋めてみよう。

先生

花子

1つ目は <u>a boring</u> game ですね。試合は退屈させる側なので。

その通り。

先生

 太郎

2つ目もexpressionという無生物を修飾しているから退屈させる側。だからboringでいいんじゃないかな。

実はbored が入るんだ。主語のHanaが「退屈させられて」浮かべた表情という意味だからだよ。

先生

 花子

a boring expressionだと、退屈させる表情、つまり見ていて退屈になってくる表情という意味になってしまいますね。

その通り!　amaze, excite, disappoint, surprise などの感情もboreと同様に考えよう。

先生

⭕ I was bored because I had nothing to do.

練習 > 次の英文に誤りがあれば正しましょう。

1 Takeshi was amazing at Jimmy's fluency in English.

2 Haruki stared at me with a surprised expression.

3 Jennifer was frustrating at her subordinates for slacking off. *slack off　だらける、サボる　*subordinates　部下たち

4 We were astonishing at the level of damage caused by the flash flood. *flash flood　鉄砲水

解答

❶ amazing → amazed　ジミーは驚かせる側、タケシは驚かされた側。
❷ このままでよい。　驚いた顔は、驚かされて浮かべる表情。
❸ frustrating → frustrated
❹ astonishing → astonished

訳
❶ タケシはジミーの流暢な英語に驚いた。
❷ ハルキは驚いた表情で私を見つめた。
❸ ジェニファーはサボる部下たちに、いら立っていた。
❹ 鉄砲水による被害の大きさに驚いた。

形容詞・副詞

Lesson 19 less, fewer, more の有効活用

以下の日本語を簡潔な英語にしてみましょう。

いらない要素を減らすと、インパクトが増す。

冗長な英文

△ If we decrease the number of unnecessary elements, the amount of impact increases.

ルール less, fewer, more で増減を効果的に表せる。

先生

「水が減ると収穫が減る」を英語にしてみよう。

If the amount of water decreases, the amount of harvest decreases. になりますね。
花子

先生

そうだね。そして「何かが減る」という内容は、《less ＋不可算名詞》、《fewer ＋可算名詞の複数形》で表すこともできる。会話だとどちらも less を使うことも多いけどね。

「水が減ること」は、less water だけで表せるってことですか？
太郎

先生

その通り。同様に「収穫が減ること」は、less harvest だけでも言える。逆に「収穫が増えること」なら more harvest にできるね。

その２つはどうやってつなげたらいいんですか？
花子

先生

A means B. を使おう。この表現は「Aの結果Bが生じる」という意味でも使えるんだ。

Less water mean less harvest. になるってことですね。
太郎

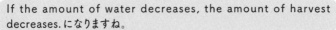

先生 ここでの less water や fewer students は「より少ない水＝水が減ること」や「より少ない学生＝学生が減ること」という意味だから、<u>三人称単数扱い</u>。つまり Less water <u>means</u> less harvest. になるね。

If we decrease the number of unnecessary elements, the amount of impact increases. を言い換えると、Less unnecessary elements means more impact. になりますね。 花子

先生 elements は可算名詞の複数形だから、試験などでは Fewer elements にしておこう。それをさらに簡潔にしたのが、Less means more. という格言なんだ。「余分なものを削るとインパクトが増す」という内容をたった3語で表現しているね。

○ Fewer elements means more impact.

練習 › 次の英文を more, less, fewer を使って書き換えてみましょう。

❶ If the number of business trips increases, the amount of free time will decrease.

❷ If the number of customers increases, the amount of financial gain will increase.

❸ If the number of eateries increase, the amount of food waste will increase. *eatery 飲食店

解答

❶ More business trips means less free time.
❷ More customers means more financial gain.
❸ More eateries means more food waste.

訳 ►
❶ 出張が増えれば自由時間が減る。
❷ 顧客が増えれば利益も増える。
❸ 飲食店が増えれば食品廃棄物も増える。

①More business trips は「出張が増えること」という意味なので、means のように三単現の s が付いています。②③の問題も同様です。

Lesson 20 — ever の意味

以下の日本語を英語にしてみましょう。

私は今までにたくさんの国を訪れたことがある。

よくあるミス

✕ **I have ever visited a lot of countries.**

ルール ever は at any time の意味。

先生

ever は経験を表す現在完了の疑問文で「今までに」という意味で習うことが多いね。でもそれだけだと使えないことが多いんだ。例えば、Sana and I will never <u>ever</u> get back together. という文を見てみよう。get back together は「復縁する」という意味の熟語だよ。

サナと私が復縁することは、「今までに」決してないだろう…?

太郎

先生

実は ever は at any time という意味なんだ。疑問文だと「どこかの時点で」、否定文では「どんな時点でも」という意味になる。

never ever で「どんな時であっても絶対しない」って感じになりますね。

太郎

先生

その通り。If you <u>ever</u> lie to me again, I will never forgive you. はどうかな?

「どんな時であってもまたうそをつくようなことがあったら、絶対に許さない」になる。

花子

先生

正解! これで Have you <u>ever</u> visited Japan? などと尋ねる表現が正しくて、I have ever visited Japan. は間違っている理由が見えてきたかな?

疑問文で「人生のどこかの地点で日本に行ったことがありますか？」は正しいけれど、肯定文で「どんな時であっても日本に行ったことがある」というのは変ですね。

花子

先生

そうだね。冒頭の英文はeverを取ってI have visited a lot of countries.とすれば正しい文になるよ。

> **◯** I have visited **a lot of countries.**

 練習 ▶ 次の英文に誤りがあれば正しましょう。

① エリカはタイでゴルフをしたことがある。

Erika has ever played golf in Thailand.

② スッタケはサイパンでスカイダイビングをして興奮したことがある。

Suttake has ever felt the adrenaline rush of skydiving in Saipan.

③ 夢を絶対にあきらめるな。可能性は無限大だ。

Don't ever give up on your dreams. The sky is the limit.

④ パトリックとアドリアナは鉱業で働いた経験がある。

Patrick and Adriana have ever worked in the mining industry.

解答

① Erika has ever played → Erika has played
「したことがある」という肯定文なのでeverを取る。
② Suttake has ever felt → Suttake has felt
③ このままでよい。everが否定を強めている。Don't ever = Never と考えてよい。
④ have ever worked → have worked

Lesson 21 — recently を使うとき

以下の日本語を英語にしてみましょう。

私は最近幸せだ。

✕ **I am happy recently.**

ルール recently は現在形と一緒に使わない。

先生 recently は「最近」という意味で覚えることが多いね。だから「私は最近幸せだ」のような内容を、I am happy recently. という英語にしてしまう人がいるんだ。でも例えば COBUILD という英英辞典は、recently を "only a short time ago" と定義しているんだよ。

「最近」っていうよりも、「ついこの間」って感じですか？
太郎

先生 その通り！　だから過去形と一緒に使うことが多いけど、現在にも影響がある場合には、現在完了形と使うこともあるよ。Jessie <u>recently</u> came to Japan. や Jessie has <u>recently</u> come to Japan. のような形になるね。でも現在形と一緒には使えないんだ。

現在形と一緒に使える「最近」という意味の副詞はありますか？
花子

先生 these days や nowadays という副詞（句）が使えるよ。「以前と違ってこの頃は」という意味だから、現在形と一緒に使うことが多いんだ。例えば、Mitsuki is angry <u>these days</u>. なら、「ミツキは前と違ってこの頃機嫌が悪い」という意味になる。nowadays の方が these days よりも響きが固くなるよ。「昨今」と「最近」の違いに似ているね。

特に過去と対比しない場合はどうしたらいいですか？
太郎

先生

now や at the moment を使えばいいよ。

⭕ **I am happy** these days [nowadays].

練習 ▷ 次の英文に誤りがあれば正しましょう。

❶ I am tied up with assignments recently.

❷ Suttake (has) recently started studying Spanish 101.

❸ Nowadays, social media platforms play important role in shaping public opinion.

❹ Recently, nothing seems to get me jumping up and down.

❺ Just recently, a respected politician was caught hurling abuse at one of her secretary in public.   *hurl abuse 罵倒する

解答

❶ recently → these days   I have been tied up recently. も可。
❷ このままでよい。101 は「基礎」や「初級講座」という意味。
❸ important role → an important role   冒頭の Nowadays の使い方は正しい。
❹ Recently → These days [Nowadays]   jump up and down は「うれしくて小躍りする」。
❺ secretary → secretaries   be caught *do*ing で「〜しているところを見つかる」。

訳 ▶
❶ 最近私は課題に追われている。
❷ スッタケは最近スペイン語の基礎を勉強し始めた。
❸ 最近、SNS は世論の形成に重要な役割を果たしている。
❹ 最近、私が飛び上がって喜ぶようなことは何もない。
❺ つい最近、評判のよい政治家が公衆の面前で秘書の 1 人に罵声を浴びせている姿を目撃された。

Lesson 22 ▶ at firstとfirstlyの使い分け

以下の日本語を英語にしてみましょう。

最初のうちはスッタケのことが好きではなかった。

よくあるミス

✕ **Firstly, I wasn't a big fan of Suttake.**

ルール firstly は「第1に」、at first は「最初のうちは」。

先生

firstlyは、物事を列挙するときに使うよ。例えば、I didn't go to the party for three reasons. <u>Firstly</u>, I'm not a big fan of Suttake, the host. <u>Secondly</u>, big groups make me feel nervous. <u>Thirdly</u>, I had some other things to take care of. といった感じになるね。

確かにエッセイで理由を述べるときによく使いますね。

太郎

先生

そうだね。それに対してat firstは、<u>At first</u>, I wasn't a big fan of Suttake, <u>but</u> now I love him very much. のように、「最初のうちは〜だった（けど…）」のような譲歩のサインとして使うんだ。こうやってAt first, 主語（S）＋動詞（V）, but 主語（S）＋動詞（V）. のように「譲歩→逆接」を示したら、その後には理由が続くことが多いんだよ。

例えば、<u>because</u> he makes learning English fun and exciting. みたいな感じですね。

花子

先生

お見事。《At first, SV, but SV because SV [because of 名詞].》のセットで覚えておこう。

> At first, I wasn't a big fan of Suttake(, but now I love him very much because he makes learning English fun and exciting.)

練習 ▷ 次の英文の誤りを正して、続きを書いてみましょう。

❶ Firstly, I was not interested in baseball, but ...

❷ Firstly, Haruki was not sure if he could get into Waseda, but ...

❸ Firstly, I was wary of e-banking, but ...

❹ Firstly, I trusted him, but ...

❺ Firstly, consumers showed no interest in our latest products, but ...

解答例

❶ Firstly → At first, I was not interested in baseball, but I have fallen in love with it because of Shohei Ohtani's spectacular two-way performance.

❷ Firstly → At first, Haruki was not sure if he could get into Waseda, but he was eventually admitted to the elite university in Japan because of his hard work.

❸ Firstly, → At first, I was wary of e-banking, but I now feel comfortable after doing some extensive research.　after 以下で理由を述べている。

❹ Firstly → At first, I trusted him, but I later found out he was a pathological liar because of countless inconsistencies in his stories.　pathological は「病的な」。

❺ Firstly → At first, consumers showed no interest in our latest products, but after an advertising campaign on social media, they are now flying off the shelves.
fly off the shelves で「飛ぶように売れる」。after 以下で理由を述べている。

訳 ▷
❶ 最初のうちは野球に興味がなかったが、大谷翔平の見事な二刀流で大好きになった。
❷ 最初のうちはハルキは早稲田に入れるかどうか自信がなかったが、努力の甲斐あってその日本の名門大学に合格できた。
❸ 最初はネット銀行に慎重だったが、いろいろ調べた結果、今は安心している。
❹ 最初は彼を信用していたが、話にいろいろと矛盾があったので後で病的な嘘つきだとわかった。
❺ 当初、消費者はわが社の新製品に関心を示さなかったが、SNSで広告キャンペーンを行った結果、今では飛ぶように売れている。

形容詞・副詞

Lesson 23 「ついに」を表す

以下の日本語を英語にしてみましょう。

ついにハナは第一志望の大学に受かった。

よくあるミス

✕ **After all, Hana got accepted into her first-choice college.**

ルール 文頭のAfter allは「なぜなら」、文末のafter allは「予想に反して」。

先生　文頭にAfter allを置くと、「なぜなら」という意味になる。例えば、Let's have a party tonight. After all, Hana got accepted into her first-choice college.のように使うんだよ。

「今夜はパーティをしよう。ハナが第一志望の大学に受かったんだから。」っていう意味になりますね。

太郎

先生　そうだね。becauseと違って、after allの後ろには、「話し手と聞き手の両方が既に知っている内容」がくることが多い。逆に文末に置いた場合のafter allは「予想に反して」という意味になるんだ。例えば、Hana got accepted into her first-choice college after all.はどんな意味になる?

「ハナは予想に反して第一志望の大学に入れた」っていう意味ですね。

花子

先生　その通り。例えば、Everyone said it was a long shot, but Hana got accepted into her first-choice college after all.のように、《SV, but SV after all》という形になることも多いんだ。a long shotは nearly impossibleの類似表現で、「成功する確率が低いもの」という意味の口語表現だよ。

「やっと」や「ついに」と言う場合にはどうしたらいいですか？

太郎

先生

「長い時間を経て」という意味の finally が使えるよ。

Finally, Hana got accepted into her first-choice college. になるってことですね。

花子

先生

その通り！ Her family and friends kept their fingers crossed for weeks, and finally, Hana got accepted into her first-choice college. のような流れになるね。keep *one's* fingers crossed は「幸運を祈る」という意味だよ。

○ Finally, **Hana got accepted into her first-choice college.**

練習 > 次の英文に誤りがあれば正しましょう。

❶ Haruka worked hard for years, and after all, she won the gold medal.

❷ Errors play a pivotal role in any learning process. After all, we learn more from our failures than our successes.

解答

❶ after all → finally　長年の努力の結果なので「やっと」という意味。
❷ このままでよい。After all の後ろに前の節の理由が続いている。

訳 ▶
❶ ハルカは長年努力して、やっとその金メダルを取れた。
❷ 間違いはあらゆる学習過程において重要な役割を果たす。なぜなら成功よりも失敗から学ぶことの方が多いからだ。

Lesson 24 — especiallyの使い方（基礎編）

以下の日本語を英語にしてみましょう。

私は和食が好きだ。特にスシが好きだ。

よくあるミス

✕ **I love Japanese food. Especially, I love sushi.**

ルール　especiallyは主語の前に置かない。

先生

「私は猫や犬のような動物が大好きだ」を英語にしてみよう。

> I love animals like cats and dogs. になりますね。
> 花子

太郎

> likeをsuch asとかincludingにするのもありだと思う。

especiallyは副詞ではあるけれど、名詞の後ろで典型例を挙げる場合には、このlikeやsuch asに似た役割を果たせるんだ。

先生

太郎

> つまりI love animals, especially cats and dogs.って言えるってことか。

その通り。Drinking plenty of water is important, <u>especially in</u> hot weather. とか、Reading books helps you learn new things, <u>especially when</u> you try different kinds of books. のように、especiallyの後ろには前置詞や接続詞が来ることが多いけど、I love animals, especially cats and dogs. のように後ろに名詞が来ることもある。

先生

花子

> 前置詞っぽい使い方ですね。

especially は副詞だけれど、ここでは前置詞的に使われていると考えていい。

同じ要領で問題の日本語も、I love Japanese food, especially sushi. にできますね。

お見事！ これで Especially, 主語＋動詞. から卒業できるね！

⭕ **I love Japanese food, especially sushi.**

練習 次の英文の誤りがあれば正しましょう。

① Yuri loves Thai food. Especially, her favorite is green curry.

② Masashi enjoys playing various musical instruments. Especially, he loves the guitar.

③ We are experiencing a major health care crisis. Especially, this is happening in regional areas.

④ Crime in this nation is getting out of hand, especially in this neighborhood.

解答

① Yuri loves Thai food, especially green curry.
② Masashi enjoys playing various musical instruments, especially the guitar.
③ We are experiencing a major health care crisis, especially in regional areas.
④ このままでよい。 get out of hand で「手に負えなくなる」。

訳
① ユリはタイ料理、特にグリーンカレーが大好きだ。
② マサシはさまざまな楽器、特にギターを演奏するのが好きだ。
③ 私たちは、特に地方において、大きな医療危機に見舞われている。
④ この国の犯罪は、特にこの地区で収拾がつかなくなっている。

形容詞・副詞

Lesson 25 — especiallyの使い方（応用編）

以下の日本語を英語にしてみましょう。

ハナコはヨーロッパの言語、特にスペイン語に興味がある。

内容的に不完全な英文

Hanako is interested in European languages, especially Spanish.

ルール especiallyで典型例を出したら理由を添える。

先生
「ハナコはヨーロッパの言語、特にスペイン語に興味がある」のような内容を英語にする方法を学んだね。

Hanako is interested in European languages, especially Spanish. にできますね。

太郎

先生
実はそれだけ書いて終わらせてしまうと内容的に不完全なんだ。何が足りないかわかるかな？

どうして特にスペイン語なのか気になりますね。

太郎

先生
そうだね。especiallyを使って典型例を挙げたら、その後ろに理由を添えてあげよう。どんな理由が挙げられるかな？

この間、大学のキャンパスで留学生たちがスペイン語を話しているのを聞いて、リズミカルで素敵だなって思ったからです。

花子

先生
それを英語にすると She heard some exchange students talking in Spanish on campus and found the rhythmic flow of the language attractive. になるね。

これを especially を含む文につなげればいいんですね。

花子

> ○ **Hanako is interested in European languages,** especially Spanish. This is because **she heard some exchange students talking in Spanish on campus** and found the rhythmic flow of the language attractive.

練習 ＞ 次の英文の続きを書いてみましょう。

Mastering English grammar and vocabulary is essential for effective written communication in various fields, especially academic writing. This is because ...

解答例

This is because good English skills help you express your ideas more clearly and understand important information more deeply.

訳
（英語の文法や語彙を習得するのは、さまざまな分野での効果的な文書のコミュニケーション、特にアカデミック・ライティングにおいて必須だ。）優れた英語力があれば、自分の考えをより明確に表現し、重要な情報をより深く理解するのに役立つからだ。

形容詞・副詞

Lesson 26 — hereと疑問副詞whereの働き

以下の日本語を英語にしてみましょう。

私はここが好きだ。

よくあるミス

✕ **I like here.**

ルール **hereとwhereは原則として副詞。**

先生

hereとwhereの働きを理解するために、「ここはどこですか?」という日本語を英語にしてみよう。

Where is here? で大丈夫だと思います。

太郎

先生

不正解! そう英訳する人が多いんだけれど、間違いなんだ。次に「私たちはここでサッカーをする」を英語にすると?

We play soccer here. になります。これは大丈夫ですよね?

太郎

先生

正解! じゃあ「君たちはどこでサッカーをするの?」は?

Where do you play soccer? になりますね。

花子

先生

正解。hereとwhereの品詞は何かな?

副詞ですか? 意味的には大事だけど、取ってもWe play soccer.とDo you play soccer?というSVOが残るので。

花子

先生

そうだね。同じようにWhere is here?からWhereとhereを取るとどうなる?

isしか残らないですね。主語がないです。

太郎

先生

だからWhere am I?やWhere are we?にしないといけないんだよ。同じようにI like here.からhereを取ると?

likeの目的語のない不完全な文になっちゃいますね。

花子

先生

だからI like it here.のように、itという漠然と状況を表す代名詞を入れないといけないんだよ。

⭕ I like it here.

 練習 ▷ 次の英文の誤りがあれば正しましょう。

❶ ここは出口ではありません。

Here is not an exit.

❷ ここからどこに向かうのですか？

Where do you go from here?

解答

❶ This is not an exit. SVCの文。
Hereは副詞で主語にできないので、Thisにする必要があります。Here is your coffee.やHere are the winners of the competition.という表現がありますが、このHereは主語ではありません。Here isでは後ろの単数名詞か不可算名詞が、Here are では後ろの複数名詞が主語で、「ここに〜がいる（ある）」という意味です。

❷ このままでよい。
Where are you from?やGet out of here.という英文からわかるように、hereやwhereが名詞的にfromやout ofのような前置詞の目的語になることがあります。

Lesson 27 thereと関係副詞whereの働き

以下の日本語を英語にしてみましょう。

私はそこが嫌いだ。

よくあるミス

✕ **I hate there.**

ルール **thereとwhereは原則として副詞。**

太郎
> I like here. が間違いで、I like it here. にしないといけなかったから、I hate there. にも同じことが言えますね。thereは副詞。

先生
> そうだね。例えばWe play soccer there. からplayを修飾する副詞のthereを取っても、We play soccer. という主語＋動詞＋目的語（SVO）が残るね。

花子
> でもI hate there. のthereを取ると、目的語がない不完全な文になっちゃいます。

太郎
> だからI hate it there. にしないとね。

先生
> Where do you play soccer? のWhereの品詞は何だったっけ？

花子
> 副詞です。取ってもDo you play soccer? というSVOが残るので。

先生
> よく覚えていたね。じゃあ「ここは私たちがサッカーをする公園です」を英語にすると？

太郎
> Here is ...じゃなくて、主語が必要だから、This is a park where we play soccer. になる。

先生

お見事。a parkを先行詞にするwhereは関係副詞と呼ばれるものだね。後ろにwe play soccer.のような主語や目的語がちゃんとある、いわゆる完全文が続くという意味では、疑問副詞のwhereと同じだと言えるよ。

⭕ **I hate it there.**

練習 > 次の英文の誤りがあれば正しましょう。

1 We want to visit a country which English is used left and right.

2 This is a city where is well known for its mesmerizing sea of cherry blossoms. *mesmerizing 魅惑的な

3 Jessie studied in Japan for a semester. From there, she developed deep passion for authentic Japanese cuisine.

4 This is the reservoir where kangaroos gather to drink on scorching days. *reservoir 貯水池

解答

1 which → where　後ろがいわゆる完全文。left and rightは「あちこちで」の意味。
2 where → which [that]　後ろがいわゆる不完全文。sea of ~ は「一面の〜」。
3 deep passion → a deep passion　「和食への深い情熱」という具体的な情熱なので、passionは可算名詞扱い。thereはhereやwhereと同様に、名詞的に使うとfromの目的語になれるのでこのままでよい。
4 このままで正しい。　scorching = very hot

訳 ▶
1 私たちは英語があちこちで使われている国を訪れたい。
2 ここは魅惑的な一面の桜で有名な都市だ。
3 ジェシーは1学期間日本に留学した。そこから本格的な日本料理に深い情熱を持つようになった。
4 ここが暑い日にカンガルーが水を飲みにやってくる貯水池だ。

Lesson 28 ─ abroadの使い方

以下の日本語を英語にしてみましょう

今年の夏は海外に行きたい。

よくあるミス

✕ **I want to go to abroad this summer.**

ルール abroadは名詞ではなくて副詞。

先生

「ここに来て」をCome here.にするのは簡単だね。hereの品詞は何だっけ?

here, there, whereは基本的に副詞ですよね。
太郎

先生

正解! abroadもそのhereと同じ副詞なんだ。come to hereではなくてcome hereになるように、go to abroadではなく、go abroadになるんだよ。

overseasもabroadの仲間だから、go overseasになりますね。
花子

先生

お見事。overseasのようにsで終わっている言葉は、副詞であることが多いんだよ。学習済みのnowadaysもその一例だね。場所を表す副詞では、upstairs, downstairs, indoors, outdoorsが代表例だよ。

go upstairsとかstay indoorsになるってことですね。
太郎

先生

あと、whereの仲間のsomewhereやanywhereが副詞というのも覚えやすいね。「今年の夏はどこかに行きたい」と「今はどこにも行きたくない」を英語にすると?

> I want to go <u>somewhere</u> this summer. と I don't want to go <u>anywhere</u> now. になります。

花子

先生

その通り！ これで名詞と副詞を区別しやすくなったね。

○ **I want to go abroad this summer.**

練習 ▷ 次の英文に誤りがあれば正しましょう。

❶ I want you to come to upstairs.

❷ Let's stay indoors and keep cool.

❸ We held an information session for our overseas students.

❹ My wife is sulking, so I have to go to home.　*sulk　すねる

❺ Rumor has it that the hidden treasure of the Tokugawa shogunate lies in somewhere in this town.

*rumor has it that　うわさでは

解答

❶ come to upstairs → come upstairs
❷ このままでよい。
❸ このままでよい。overseas は「海外（から）の」という意味の形容詞として使える。
❹ to home → home
❺ in somewhere → somewhere

訳 ▷
❶ あなたに上の階へ来てほしい。
❷ 屋内にいて涼しくしていよう。
❸ 私たちは留学生のために説明会を行った。
❹ 妻がすねているので帰らないといけない。
❺ この町のどこかに徳川幕府の秘宝が眠っているといううわさがある。

Lesson 29

however の使い方（基礎編）

以下の日本語を英語にしてみましょう。

雨が降っていたが、散歩に行った。

よくあるミス

✕ It was raining, however, I went for walk.

ルール however は副詞。

先生

however は副詞。2つの文を直接つなぐことはできないよ。

ここでは but を使うと、It was raining, but I went for a walk. になりますね。
花子

太郎

walk の前に a が必要なのに気づかなかった。散歩は可算名詞なんですね。

気をつけようね。散歩のように「始めと終わりが明確なもの」は可算名詞になることが多いんだよ。

先生

太郎

It was raining, but I went for a walk. になるってことですね。

その通り。これと同じ内容を however を使って書き換えてみよう。

先生

花子

but は接続詞、however は副詞ですよね。

その通り。「しかしながら」という意味の副詞 however には2通りの使い方があるんだ。1つ目は、前の文にピリオドを打って、大文字で始める方法だ。

先生

太郎

It was raining. However, I went for a walk.にするってことですか?

そうだね! もう1つは、セミコロンの後ろに置く方法だよ。

先生

太郎

It was raining; however, I went for a walk. になりますね。

It was raining, but I went for a walk.
○ It was raining. However, I went for a walk.
It was raining; however, I went for a walk.

練習 ▷ 次の英文の誤りを3通りで正しましょう。

❶ The cost of living has gone up by 30 percent, however, we still need to buy essentials.

❷ All employees were promised a pay rise by April, however, the CEO may go back on his word. *go back on *one*'s word 約束を破る

解答

❶ The cost of living has gone up by 30 percent, but we still need to buy essentials.
The cost of living has gone up by 30 percent. However, we still need to buy essentials.
The cost of living has gone up by 30 percent; however, we still need to buy essentials.

❷ All employees were promised a pay rise by April, but the CEO may go back on his word.
All employees were promised a pay rise by April. However, the CEO may go back on his word.
All employees were promised a pay rise by April; however, the CEO may go back on his word.

althoughを使って、Although the cost of living has gone up by 30 percent, we still need to buy essentials.にする方法もあります。

訳 ▶ ❶ 生活費は30%上がったが、私たちはそれでも必需品を買う必要がある。
❷ 全従業員は4月までに昇給を約束されていたが、CEOが約束を反故にするかもしれない。

形容詞・副詞

Lesson 30 — however の使い方（応用編1）

以下の日本語を英語にして、後ろに加えるべき内容を考えてみましょう。

雨が降っていたが、散歩に行った。

内容的に不完全な英文

It was raining. However, I went for a walk.

 ルール　however や but で逆接したら理由を添える。

先生

前回 however の使い方を確認して、It was raining. However, I went for a walk. のような文が書けるようになったね。でもそれだけだとまだ内容的に不十分なんだ。

雨なのになぜ散歩に行ったか気になるからですね。

花子

先生

その通り。《主語＋動詞, but 主語＋動詞》や、《主語＋動詞. However, 主語＋動詞》の後には、理由を書くようにしよう。どんな理由で雨なのに散歩に行ったのかな？

新しい傘を試してみたかったからかな？

太郎

先生

いいね！　他には？

雨の匂いを嗅いで、子どもの頃を思い出したからとか？

花子

先生

うんうん。その2つを英語にしてみようか。

僕のだと、because I wanted to try my new umbrella.になりますね。

太郎

私のは、because the smell of the rain reminded me of my childhood. ですね。

花子

AにBを思い出させるという意味のremind A of Bをうまく使えたね！

先生

> It was raining, but I went for a walk because I wanted to try my new umbrella.
> It was raining. However, I went for a walk because the smell of the rain reminded me of my childhood.

練習 ▷ 次の英文の続きを書いてみましょう。

❶ She did not study for the test, but she still got an A because
...

❷ The apartment building was up in flames. However, I ran inside without a second thought because ...

*without a second thought　何のためらいもなく

解答例

❶ she is gifted.
　 it turned out to be easy.
　 she had paid close attention to her teacher in class.
❷ I heard cries for help.
　 my kids were still inside.
　 I wanted to help the residents (to) evacuate.

訳 ▶

❶ (彼女はテスト勉強をしなかったが、それでもAが取れた。なぜなら…)
　 彼女は天才だからだ。
　 テストが簡単だったからだ。
　 彼女は授業で先生の話に細心の注意を払っていたからだ。
❷ (マンションは燃え上がっていた。しかし、私は迷わず中に駆け込んだ。なぜなら…)
　 助けを求める声が聞こえたからだ。
　 私の子どもたちがまだ家の中にいたからだ。
　 住民が避難するのを手伝いたかったからだ。

Lesson 31 — however の使い方（応用編 2）

以下の日本語を英語にしてみましょう。

どれだけ危険でも、その山に登りたがる人がたくさんいる。

よくあるミス

✕ **However the mountain is dangerous, many still want to climb it.**

ルール　however～（どんなに～でも）は、後ろの副詞・形容詞とセットで使う。

先生

「どんなに～でも」という意味のhowever は、very old（とても年を取っている）→ how old（どのくらい年を取っているのか）→ however old（どれだけ年を取っていようが）の3段階で考えるとわかりやすいよ。He is <u>very old</u>. I don't know <u>how old</u> he is. <u>However old</u> he is, he never stops learning. という流れで英文が作れるね。

同様にvery dangerous → <u>how</u> dangerous → <u>however</u> dangerous になりますね。

花子

太郎

それぞれ「とても危険」「どれだけ危険か」「どれだけ危険でも」っていう意味になるね。

だから、However と dangerous をくっつけて、<u>However dangerous</u> the mountain is, many people still want to climb it. にしないといけない。

花子

先生

その通り！　However は No matter how にも置き換えられる。<u>No matter how dangerous</u> the mountain is にできるということだよ。後者の方がやや口語的だよ。

> However dangerous **the mountain is, many still**
> **want to climb it.**
> No matter how dangerous **the mountain is, many**
> **still want to climb it.**

練習 ▷ 次の英文の誤りがあれば正しましょう。

1 However you are beautiful, it is your character that matters.

2 However you are intelligent, you'll find it hard to outsmart AI.

3 However you are well off, money cannot always buy happiness. *well off 裕福な

4 However you are charming, you will never win my heart.

*win *one*'s heart 愛を勝ち取る、心をつかむ

5 However I tried to solve the problem, I just couldn't find the right solution.

解答

❶ However you are beautiful, → However beautiful you are,
❷ However you are intelligent, → However intelligent you are,
❸ However you are well off, → However well off you are,
❹ However you are charming, → However charming you are,
❺ このままでよい。 ここでのhoweverはin whatever wayの言い換えで、「どのように〜しても」という意味になっている。

HoweverをNo matter howにしたり、譲歩の助動詞mayを足したりすることもできます。①であれば、No matter how beautiful you may beに、②であれば、No matter how intelligent you may beにできます。

訳 ▶
❶ どんなに美しくても、重要なのは性格だ。
❷ どんなに頭がよくても、AIを出し抜くのは難しいとわかるだろう。
❸ どんなに裕福でも、いつもお金で幸せを買えるわけではない。
❹ どんなに魅力的でも、あなたは決して私の心をつかむことはできない。
❺ どんなに問題を解決しようとしても、どうしても適切な解決策が見つからなかった。

Lesson 32 ── by と with の使い分け

以下の日本語を英語にしてみましょう。

私はこのナイフでそのケーキを切った。

よくあるミス

✕ **I cut the cake by this knife.**

ルール 手段は by、道具は with。

先生　日本語だと「ナイフで」や「電車で」のように「で」で済んでしまうものでも、英語の場合は使い分ける必要があるんだよ。例えば、「このナイフで」は「ナイフを手にして」という意味だね。このように手で持てる物を使う場合は、with を使って表すんだ。

だから I cut the cake with this knife. になるんですね。
太郎

先生　その通り。with の後ろの単数名詞には this や that、冠詞、所有格が必要だよ。じゃあ「私は電車で学校に行く」を英語にすると？

I go to school by train. ですね。
花子

先生　正解。電車は手で持てないからね。そんな交通手段の場合には《by ＋ (無冠詞)手段》になるよ。例えば The cute monster went to school by train. はどんな意味になる？

「かわいい怪獣は電車で学校に行った」って意味ですね。
太郎

先生　お見事！ それじゃあ The scary monster destroyed our town with a train. は？

「恐ろしい怪獣が電車を手にして私たちの町を破壊した」という意味になります。

花子

先生

その通り。手にすることのできる道具はwithと考えておこう。

> ⭕ I cut the cake with this knife.

練習 次の英文の誤りがあれば正しましょう。

❶ Only a handful of people write letters by fountain pens these days. *fountain pen 万年筆

❷ Kenji could not open the door by this key.

❸ Hazuki snapped these Instagrammable photos by her smartphone camera. *Instagrammable インスタ映えする

❹ Peter pried the oyster open by his flat head screwdriver.
*pry ~ open ～をこじ開ける　flat head screwdriver マイナスドライバー

❺ Billy found the source of the water leak by using his torch.

解答

❶ by fountain pens → with fountain pens
❷ by this key → with this key
❸ by her smartphone camera → with her smartphone camera
❹ by his flat head screwdriver → with his flat head screwdriver
❺ このままでよい。 by doing の by は省略されることもある。

訳
❶ 最近は万年筆で手紙を書く人はごく一握りしかいない。
❷ ケンジはこの鍵でそのドアを開けることができなかった。
❸ ハヅキはこれらのインスタ映えする写真をスマートフォンのカメラで撮った。
❹ ピーターはマイナスドライバーで牡蠣をこじ開けた。
❺ ビリーは懐中電灯で水漏れの原因を見つけた。

前置詞・接続詞

Lesson 33 — inとonの使い分け

以下の日本語を英語にしてみましょう。

私たちは父の車で木更津に行った。

よくあるミス

✗ **We went to Kisarazu by my father's car.**

ルール by car は OK。by this／that／冠詞／所有格＋名詞 は間違い。

先生

「私たちは彼の車で大阪に行った」を英語にすると？

We went to Osaka by his car. になります。「車を手にして」はおかしいからbyを使う。

太郎

先生

<u>my</u> car みたいに、手段の前に修飾語が付いている場合、byは使えないんだよ。

by以外のどんな前置詞を使ったらいいですか？

太郎

先生

「車という箱の中に入って」と考えるとわかりやすいんじゃないかな。

inを使ってWe went to Osaka <u>in his car</u>.ってことですか？

太郎

先生

その通り。身を縮めて入り込むような乗り物にはinを使うんだ。じゃあ「カズは私のバイクで博多に行った」だったら？

バイクは箱じゃないからinはおかしいですね。

花子

先生 バイクに接しているイメージだよ。

onを使って、Kazu went to Hakata on my bike.にするってことですか?

太郎

先生 その通り。ぎゅっとくっついているイメージがonにはあるんだ。例えばShuntaro depends on his parents.（シュンタロウは両親を頼っている）なら、子どもが両親にくっついて離れられない感じだよ。ちょっとわかりにくいのが「私たちはあの電車で京都に行った」なんだ。

車と同じ箱だから、We went to Kyoto in that train.にすればいいと思ったんですけど。

太郎

先生 飛行機、バス、電車のように身を縮めずにそのまま乗り込める「大型の乗り物」の場合には、We went to Kyoto on that train.のように、onを使うんだ。

⭕ **We went to Kisarazu in my father's car.**

練習 > 次の英文の誤りを正しましょう。

❶ Yuri explored Detroit on her brand-new car.

❷ Hide flew to London in a private plane.

❸ Takahiko went deep into Chiba by that shabby train.

解答

❶ on her brand-new car → in her brand-new car
❷ in a private plane → on a private plane
❸ by that shabby train → on that shabby train

訳 ▶
❶ ユリは自分の新車でデトロイトを探索した。
❷ ヒデは自家用機でロンドンに行った。
❸ タカヒコはボロボロの電車で千葉の奥地に入っていった。

前置詞・接続詞

Lesson 34

未来の「～後」を表す

以下の日本語を英語にしてみましょう。

私は3日後に空港に父を迎えに行きます。

よくあるミス

× I'm picking up my father at the airport after three days.

ルール　現在から見た未来の「～後」はin ～で表す。

先生

in timeには主に2つの意味があるのを知っているかな？

「間に合って」という意味があるのは知っています。

太郎

先生

そうだね。I got to the station in time for the last train.のような使い方をするね。加えて「やがて」や、「そのうち」という意味もあるんだよ。

どうしてですか？

太郎

先生

inという前置詞が、時間の経過を表せるからだよ。in timeで「時が経つと」、つまり「やがて」という意味が生まれてくる。In time, you will find the meaning of true love.のような形で使えるんだよ。そうすると、in two monthsはどんな意味になる？

「2カ月経つと」という意味になりますね。

花子

先生

その通り。言い換えると、現在から見た未来の「2カ月後に」という意味になる。だから「2カ月後に20歳になる」を英語にすると、I will turn 20 in two months.になるんだよ。

同じように「3日後に迎えに行く」の「3日後」は in three days になるんですね。

太郎

先生

その通り！　「私はその3年後に帰国した」のように、過去のある地点を基準にしている場合には、After three years〔three years later〕, I returned home. になるんだ。

⭕ **I'm picking up my father at the airport in three days.**

練習 ▷ 次の英文の誤りがあれば正しましょう。

❶ **After a few decades, AI-powered machine translators might replace their human counterparts.**

❷ **After six months, my term deposit reached maturity.**

*term deposit　定期預金

❸ **After roughly two hours, the anesthetics should start to wear off.** *anesthetics　麻酔　wear off（効果などが）徐々に消えていく

❹ **The relationship with my partner ended after a few months.**

解答

❶ After a few decades, → In a few decades,
❷ このままで正しい。
❸ After roughly two hours, → In roughly two hours,
❹ このままで正しい。

訳

❶ 数十年後にAI搭載翻訳機が人間の翻訳者に取って代わるかもしれない。
❷ 半年後に定期預金が満期を迎えた。
❸ およそ2時間後には麻酔が切れ始めるだろう。
❹ 私のパートナーとの関係は数カ月後には終わってしまった。

Lesson 35

「〜できた」を表す（基礎編）

以下の日本語を英語にしてみましょう。

私は昨日その試験に合格することができた。

よくあるミス

× **I could pass the exam yesterday.**

ルール

頑張って１回だけできたことは could *do* ではなく《was / were able to *do*》。

花子

I could pass the exam yesterday. は間違いですか？

「１回できた」という内容は could *do* で表せないんだよ。yesterday のような過去を表す副詞で修飾しても、「能力があった」という意味になってしまう。
先生

花子

「能力があった」ではなくて「１回できた」を英語にするには？

一番簡単なのは、動詞の過去形を使って I <u>passed</u> the exam. にする方法があるよ。
先生

太郎

それなら簡単ですね。あと、I <u>was able to pass</u> the exam yesterday. はどうですか？

正しい英語だよ。「１回できたこと」は、《was / were able to *do*》を使って表すことができるんだ。「何とかできる」という意味の《manage to *do*》を使って、I <u>managed to pass</u> the exam yesterday. にする方法もあわせて覚えておこう。難しいことに挑戦したことが強調されるね。また、《successfully＋過去形》や《succeeded in *doing*》でも同様の意味を表せるよ。
先生

I passed **the exam yesterday.**

I was able to pass **the exam yesterday.**

○ I managed to pass **the exam yesterday.**

I successfully passed **the exam yesterday.**

I succeeded in passing **the exam yesterday.**

練習 > 次の日本語を英訳したものに誤りがあれば正しましょう。

① タケシは新しい本を書き終えることができた。

Takeshi could finish writing his new book.

② 一生懸命頑張って、クリスは自分の理論を証明することができた。

Through hard work, Chris could prove his theory.

③ 若い頃、コウスケはとても速く泳げた。

When he was younger, Kosuke could swim very fast.

④ チームメイトの支えのおかげで、カナコは世界記録を出せた。

Thanks to the support of his teammates, Kanako could set a world record.

解答

① could finish → (successfully) finished / was able to finish / managed to finish / succeeded in finishing

② could prove → (successfully) proved / was able to prove / managed to prove / succeeded in proving

③ このままでよい。「頑張って1回泳げた」ではなく、「過去に泳ぐ能力があった」という意味であるため。このようにcouldが過去の能力を表している場合、yesterday, two years ago, when he was younger のような過去を表す副詞や副詞のかたまりを加える必要があるので注意。それがないと仮定法過去になってしまう。

④ could set → (successfully) set / was able to set / managed to set / succeeded in setting

Lesson 36

「～できた」を表す（応用編）

以下の日本語を英語にしてみましょう。

頑張ったおかげで大谷翔平は MVP が取れた。

よくあるミス

✕ **Thanks to hard work, Shohei Ohtani could win an MVP award.**

ルール　A made it possible for B to *do* で「Aのおかげで Bは～できた」を表す。

花子

これも「頑張って1回取れた」という意味だから、could win は間違いですね。

was able to win とかにしないといけない。

太郎

先生

よく覚えていたね。こんなふうに「Aのおかげで Bは～できた」という内容は、A made it possible for B to *do* という英文で表すこともできるよ。

Hard work <u>made it possible for Shohei Ohtani to set</u> a world record. にできます。

花子

先生

お見事。さらに「可能にする」という意味の動詞 enable を使って、A enabled B to *do* を使うこともできるんだよ。

Hard work <u>enabled Shohei Ohtani to win</u> an MVP award. にするってことですか？

太郎

先生

その通り!

> **Hard work** made it possible for Shohei Ohtani to win
> an MVP award.
> **Hard work** enabled Shohei Ohtani to win **an MVP**
> **award.**

「A の お か げ で B は ～ し や す く な っ た」は、A made it
easier for B to *do* や、A helped B (to) *do*。

例▶

この辞書のおかげで宿題を終わらせることができた。

This dictionary made it possible for me to finish **my assignment.**

This dictionary enabled me to finish **my assignment.**

この辞書のおかげで宿題が終わらせやすくなった。

This dictionary made it easier for me to finish **my assignment.**

This dictionary helped me (to) finish **my assignment.**

*help ~ to *do* の to は省略可。

練習 ▶ 次の日本語を指示に従って英訳してみましょう。

❶ 外国語を学ぶと、異文化コミュニケーションが取りやすくなる。
【makeを使う】

❷ このスマホのアプリを活用すると、学生たちは英語の発音を上達
させやすくなる。【helpを使う】

解答例

❶ Learning foreign languages makes it easier (for us) to engage in cross-cultural communication.

❷ Utilizing this smartphone app helps students (to) take their English pronunciation skills to the next level.　take ~ to the next level = further improve ~

動名詞を主語にした場合、動詞に三単現のsを付け忘れないようにしましょう。動名詞の目的語のみを主語にすることも可能で、②のUtilizing this smartphone appなら、This smartphone appにできます。

助動詞

Lesson 37

「〜できる」を名詞のかたまりにする

以下の日本語を英語にしてみましょう。

英語が話せると、より多くの人とコミュニケーションが取れる。

表現が重複しがち

If we can speak English, we can communicate with more people.

ルール 《the ability to *do*》で「〜できること」という名詞のかたまりを活用する。

先生

どうしたらこの英文で同じ単語の繰り返しを避けられるかな?

weとcanを何度も繰り返すのは微妙ですね。

花子

先生

そうだね。同じ単語の繰り返しは避けたいね。まずyou can speak Englishを書き換えてみよう。the ability to *do*を使うと、「〜できること」という意味の名詞のかたまりが簡単に作れるよ。

The ability to speak Englishにするってことね。

太郎

花子

続きの can communicate with more peopleには、《make 目的語(O)＋補語(C)》が使えると思います。たとえば、The ability of speaking English make it possible for us to communicate with more people. になりますね。

惜しい。The ability of speaking Englishではなくて、The ability to speak Englishになるよ。

先生

太郎

あとは、abilityが主語だから、動詞はmakeじゃなくてmakesになる。

その通り。主語と動詞が合致しているか必ず確認する癖をつけようね。
《make it possible for ~ to *do*》の他に、《enable ~ to *do*》も使え
るんだったね。

先生

○ The ability to speak **English** makes it possible for us to talk **with more people.**
The ability to speak **English** enables us to talk **with more people.**

練習 ▷ 次の英文をabilityを使って書き換えてみましょう。

1. Yuma can pay attention to detail, so he can work successfully. 【makeを使う】

2. Masashi can play various musical instruments, so he can perform in different bands. 【enableを使う】

解答例

1. Yuma's ability to pay attention to detail makes it possible for him to work successfully.
2. Masashi's ability to play various musical instruments enables him to perform in different bands.

訳 ▷
1. ユウマは細部にまで気を配ることができるので、仕事がうまくいく。
2. マサシは様々な楽器を演奏できるため、色々なバンドで演奏することができる。

Lesson 38

「〜できなかった」を表す
（基礎編）

以下の日本語を英語にしてみましょう。

私は昨日その試験に合格することができなかった。

○か×か？

I could not pass the exam yesterday.

　ルール　過去にできなかったことは《could not *do*》《was/were not able to *do*》どちらも可。

太郎 「過去に1回できたこと」はcouldで表現できなかったよね。

「過去に1回できなかった」ことにも、could notは使えないのかな？
花子

先生 実は「できなかった」という場合には、《could not *do*》《was/were not able to *do*》《did not manage to *do*》が全て使えるんだ。

I could not pass the exam. I was not able to pass the exam. I did not manage to pass the exam. にできるっていうことですね。
花子

先生 その通り。was not able to *do* の方が could not *do* よりも硬く聞こえるね。did not manage to *do*を使うと、「必死になってやってもダメだった」という事実が強調されるよ。

○ I could not pass **the exam yesterday.**
I was not able to pass **the exam yesterday.**
I did not manage to pass **the exam yesterday.**

次の日本語を英語にしてみましょう。

① ユウマは審査員たちをうならせることができなかった。

「～をあっと言わせる」はwow。

② シュンタロウは姉を喜ばせることができなかった。

③ 最後の1ピースがどこにも見つからなかったので、ハナはパズル
を完成させることができなかった。

④ 私たちは月のノルマに達することができなかった。

「分担、ノルマ」はquota。

⑤ 主人公の死を見て、ジョーは涙をこらえきれなかった。

「主人公」はprotagonist。

⑥ そのバスケットボールチームは奇跡を起こすことができなかった。

「(難しい状況の中で)～を成功させる」はpull off ~。

解答例

① Yuma could not wow the judges.
② Shuntaro could not please his older sister.
③ Hana could not finish the puzzle as the last piece was nowhere to be found.
④ We could not reach our monthly quota.
⑤ Joe could not hold back his tears after seeing the protagonist die.
⑥ The basketball team could not pull off a miracle.

could not do は、was not able to do と did not manage to do に書き換えられます。

Lesson 39

「～できなかった」を表す
（応用編）

以下の日本語を英語にしてみましょう。

私は昨日その試験に合格することができなかった。

正しい文だが、could not以外の表現も使えるとよい。

I could not pass the exam yesterday.

ルール　できなかったことはnotを使わなくても言える。

先生

notを使わずに「～できなかった」という内容を表す方法はあるかな？

《be unable to *do*》が使えます。I was unable to pass the exam. になりますね。
花子

先生

お見事。I was not able to pass the exam. よりも固い響きになるよ。それに加えて《failed to *do*》を使う方法もあるよ。

「1回できた」を《succeed in *doing*》で表せる。逆に「1回できなかった」は《failed to *do*》で表せる。I failed to pass the exam. にできるってことですね。
太郎

先生

素晴らしい。さらにI failedはMy failureという名詞のかたまりにできるから、覚えておくと表現の幅が広がるよ。たとえば、「私が試験に合格できなかったので、両親はがっかりした」を英語にすると？

My failure to pass the exam made my parents disappointed. になりますね。
花子

先生

お見事！　made my parents disappointedはdisappointed my parentsにできるよ。後者の方がスッキリしているね。

I could not pass **the exam last week.**
I was not able to pass **the exam last week.**
○ I was unable to pass **the exam last week.**
I did not manage to pass **the exam last week.**
I failed to pass **the exam last week.**
My failure to pass **the exam last week.** (名詞のかたまり)

練習 〉 次の英文を f a i l u r e を使って書き換えてみましょう。

❶ Yuma couldn't catch the last train, so his wife was upset.

❷ The restaurant couldn't meet hygiene standards, so its patrons were disappointed.

❸ The author couldn't submit his draft by the deadline, so his editor was furious. *furious = extremely angry

❹ Jackson couldn't prove his innocence, so he will be put behind bars for the next five years.

*put ~ behind bars   〜を刑務所に入れる

解答

❶ Yuma's failure to catch the last train made his wife upset [upset his wife].
❷ The restaurant's failure to meet hygiene standards made its patrons disappointed [disappointed its patrons].
❸ The author's failure to submit his draft by the deadline made his editor furious.
❹ Jackson's failure to prove his innocence will put him behind bars for the next five years.

訳
❶ ユウマが終電に乗ることができなかったので、妻が怒った。
❷ そのレストランが衛生基準を満たせなかったので、常連客が残念がった。
❸ 著者が締め切りまでに原稿を提出できなかったので、編集者は激怒した。
❹ ジャクソンは無実を証明できなかったので、今後5年間は塀の中だ。

以下の日本語を英語にしてみましょう。

私は大学でスペイン語を勉強することになっている。

 よくあるミス

✕ **I will study Spanish at university.**

 ルール　すでに決まっている予定は《be going to *do*》。

 先生
飲み物をこぼした人を見て、「私が片付けます」と言うとする。I'll clean it up. と I'm going to clean it up. のどっちを使うかな？

2つとも同じ意味だと思っていました。どんな違いがあるんですか？
 太郎

 先生
その場で主観的に決めたことには will を使うんだよ。

そうするとこの場合は I'll clean it up になりますね。
 花子

 先生
その通り。じゃあ、大学に合格して、スペイン語を専攻することがすでに決まっている人は、I'll study Spanish. と I'm going to study Spanish. のどっちを使う？

I'm going to study Spanish. ですか？　その場で決めたことじゃないので。
 太郎

 先生
going になっているから、「もう何かに向かって動き始めている」というニュアンスがあるんだよ。会話の前の時点で、合格通知という客観的な証拠があって、大学でのスペイン語学習に向けて動き始めている。そんな場合は be going to *do* を使って表すんだ。

> ⬤ I am going to **study Spanish at university.**

練習 次の日本語を英語にしてみましょう。

❶ （旅先で立ち寄った服屋で）私はこのTシャツを買います。

❷ （旅に出ることを知っている友人から）ロンドンのどこに泊まるの？

❸ 私たちは気候変動に関する討論会に参加することになっている。

❹ トシは、文学翻訳という魅力的な世界について講演することになっている。

解答例

❶ I'll buy this T-shirt.　その場で主観的に決めたこと。
❷ Where are you going to stay in London?
❸ We are going to take part in the debate on climate change.
❹ Toshi is going to deliver a speech on the fascinating world of literary translation.
　②～④はすでにスケジュールに組み込まれているような客観的な予定。

Lesson 41 「～だったかもしれない」を表す

以下の日本語を英語にしてみましょう。

ナオミは良い先生だったかもしれない。

よくあるミス

✕ **Naomi might be a good teacher.**

ルール 「～だったかもしれない」は《may〔might〕have ＋ 過去分詞》。

先生

mayをmightにしても推量の意味が弱くなるだけ。過去の意味にはならない。

Naomi may be a good teacher. と Naomi might be a good teacher. のどちらも「ナオミは良い先生かもしれない」という意味になるってことですか？

花子

先生

そういうことだよ。だから「だったかもしれない」という過去の推量を表す場合には、《may have ＋過去分詞》を使う必要がある。

Naomi may have been a good teacher. になるってことですね。

太郎

先生

その通り。mayをmightにすると可能性が低まるよ。難しい場合には、《Perhaps 主語＋動詞》を使うと同じ内容が簡単に表せるよ。

> **Naomi** may〔might〕have been **a good teacher.**
> Perhaps **Naomi** was **a good teacher.**

❶ スッタケは新しい本を仕上げてしまったのかもしれない。

「〜の仕上げをする」はadd the final touches to〜。

❷ ユイトは終電を逃したのかもしれない。

❸ 彼らは破局したのかもしれない。

❹ 交渉は決裂したのかもしれない。 「決裂する」はfall through。

❺ その会議は中止になったのかもしれない。 「〜を中止にする」はcall off〜。

解答例

❶ Suttake may [might] have finished adding the final touches to his new book. / Perhaps Suttake finished adding the final touches to his new book.

❷ Yuma may [might] have missed the last train. / Perhaps Yuma missed the last train.

❸ They may [might] have gone their separate ways. / Perhaps they went their separate ways.

❹ The negotiation may [might] have fallen through. / Perhaps the negotiation fell through.

❺ The meeting may [might] have been called off. / Perhaps the meeting was called off.

《Perhaps 主語＋動詞》の動詞は、現在にも影響を及ぼしている内容であれば、現在完了形を用いることができます。例えば①なら、Perhaps Suttake has finished adding the final touches to his new book. になります。

Lesson 42 — 主語と動詞の対応

以下の日本語を英語にしてみましょう。

友達がたくさんいて私は幸せだ。

よくあるミス

 Having a lot of friends make me happy.

 主語と動詞が合致しているか要確認。

先生

He make me happy. なら、すぐに間違いだって気づけるかな？

He が主語だから、make を makes にしないといけないですね。
花子

先生

そうだね。Having のような動名詞が主語になっているときも同じだよ。
例えば、「英語を学ぶと、友達が作りやすくなる」を英語にするとどうなる？

えっと、Learning English make it easier for us to make friends.
になりますね。
太郎

先生

チェック済みの《make it easier for ~ to do》をスムーズに使えたの
はいいことだけど…。

動名詞が主語のときは、現在形なら make を makes にしないといけな
いですね。
花子

太郎

早速やっちゃった。内容、表現、文法を全部整えるのって難しい。

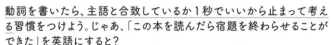
動詞を書いたら、主語と合致しているか1秒でいいから止まって考え
る習慣をつけよう。じゃあ、「この本を読んだら宿題を終わらせることが
できた」を英語にすると？
先生

花子

Reading this book makes it possible for me to finish my homework. になります。

過去の話だから、makesじゃなくてmadeじゃない？

太郎

先生

そうだね。時制にも気を配る必要があるよ。

◯ **Having a lot of friends** makes **me happy.**

練習 次の英文の誤りを正しましょう。

❶ Chewing with your mouth open go against basic table manner.

❷ Embracing new challenges broaden your horizon.

❸ Exercising day in, day out help (to) strengthen the core muscles. *day in, day out 来る日も来る日も

解答

❶ Chewing with your mouth open goes against basic table manners.
マナーは英語では必ず複数形manners。

❷ Embracing new challenges broadens your horizons.
horizon は可算名詞。broaden one's horizons で「視野を広げる」。

❸ Exercising day in, day out helps (to) strengthen the core muscles.

訳 ▶
❶ 口を開けたまま噛んで食べるのはマナー違反だ。
❷ 新たな挑戦を受け入れると、視野が広がる。
❸ 毎日運動することは、コアマッスルを強化するのに役立つ。

Lesson 43 現在完了形の使い方

以下の日本語を英語にしてみましょう。

ミッキは大学生になってとても変わった。

よくあるミス

✕ Mitsuki changed a lot since she became a college student.

ルール 現在も続いている状態や動作は、過去形ではなく現在完了形。

先生 「その国で汚染が深刻になった」を英語にするとどうなる?

Pollution became serious in that country. になります。

太郎

先生 文法的に間違っているわけじゃないけど、満点とは言えないな。日本語の「〜になった」は「〜になって今に至る」という意味になっていることが多いんだ。ここでも汚染が深刻な状態のままなら、現在完了形を使うんだよ。

Pollution <u>has become</u> serious in that country. になるってことですね。

花子

先生 正解! 例えば、久しぶりに会った親戚の子どもに「大きくなったね」って言うとする。

「前回会ったときからずいぶん成長して今に至る」ということだから、You <u>have grown up</u> a lot since I last saw you. になりますね。

太郎

花子

「ミツキは大学生になってとても変わって今に至る」の場合も同じ。
Mitsuki has changed a lot since she became a college student.
にしないといけないってことですね。

2人ともお見事！ 「～して今に至る」を補えるかどうか考える癖をつけよう。

先生

○ Mitsuki has changed a lot since she became a college student.

練習 ▷ 次の英文の誤りがあれば正しましょう。

❶ ユイトはピアノを習ってきた。

Yuito learned to play the piano.

❷ 私は人生でたくさんの失敗をしてきた。

I made countless mistake in my life.

❸ そのコロナウィルスは2019年に世界的に広がり始めた。

The coronavirus began its global spread in 2019.

❹ 自然災害は何世代にもわたって人類を苦しめてきた。

Natural disasters plagued humanity for generations.

解答

❶ learned → has learned　今でも弾けると考えられるので現在完了。
❷ made countless mistake → have made countless mistakes
　私の人生はまだ終わっていないので現在完了。
❸ このままでよい。in 2019のように過去の副詞（のかたまり）がある場合は過去形。
❹ plagued → have plagued　自然災害による苦しみは今も続いているため現在完了。
　plague「～を苦しめる、悩ませる」。

Lesson 44 accessの使い方

以下の日本語を英語にしてみましょう。

私たちは簡単にインターネットにアクセスできる。

✕ **We can easily access to the internet.**

ルール accessは他動詞。前置詞toは不要。

先生

accessの2つの使い方を覚えておこう。1つ目は動詞として使う方法だよ。

We can easily access to the internet. になりますね。

太郎

先生

惜しい。日本語の「〜に」につられて、toを付けないようにしよう。accessは他動詞だからね。

他動詞だから前置詞は入らないので、We can easily access the internet. になりますね。

花子

先生

その通り。2つ目はaccessを名詞として使って、have access to 〜 にする方法だよ。

easily access the internet を have easy access to the internet にできるってことですか?

太郎

先生

その通り。easy accessのように形容詞を足すことでニュアンスが加えやすくなるよ。

easyの他にどんな形容詞が使えますか?

太郎

先生

例えば have free access to ～ なら「～が無料で手に入る」、have limited access to ～ なら、「～を手に入れる機会が限られている」になる。例えば We have free access to health care. や We have limited access to health care. のような文が作れるね。

「医療を無料で受けられる」と「医療を受けられる機会が限られている」になりますね。

花子

先生

その通り。日本語の「アクセス」よりも使える範囲が広いね。

○ We can easily access the internet.
　 We can have easy access to the internet.

練習 〉 次の英文の誤りがあれば正しましょう。

❶ She has illegally accessed to her company's database.

❷ Subscriber have unlimited access exclusive content.

❸ Obtaining permanent residency will allow me to access to welfare payments.

　　*permanent residency　永住権　　welfare payment　生活保護（の支給金）

解答

❶ She has illegally accessed her company's database.
❷ Subscribers have unlimited access to exclusive content.
❸ Obtaining permanent residency will allow me to access welfare payments.

訳 ▶
❶ 彼女は会社のデータベースに不正にアクセスした。
❷ サブスク会員は限定コンテンツに無制限にアクセスできる。
❸ 永住権を取得すれば、生活保護を受けられる。

Lesson 45 — affect と effect の使い分け

以下の日本語を英語にしてみましょう。

喫煙は健康に悪影響を与える。

よくあるミス

 Smoking gives negative effect to your health.

ルール 「影響」の effect は名詞、affect は他動詞。

先生

日本語から直訳しようとして「…は〜に悪影響を与える」を ... gives negative effect to 〜. にしてしまう人がいるけど、... has a negative effect on 〜. にする必要がある。影響を受けると付いて回ってくるから、接触を表す on を使って表すんだよ。

Smoking <u>has a negative effect on</u> your health. にしないといけないということですね。

太郎

そうだね。じゃあ、「バランスの取れた食事は健康に良い影響を与える」を英語にするとどうなる？　A balanced diet を主語にしてみよう。

先生

A balanced diet have positive effect on your health. になりますね。

太郎

A balanced diet <u>has a positive effect on</u> your health. にしないとね。

花子

そうだね。主語と動詞の一致や冠詞にも意識を向けよう。Smoking has a negative effect on your health. を affect（他動詞）を使って書き換えるとどうなる？

先生

Smoking negatively affects on your health. ですね。主語と動詞の一致にも気をつけました。

太郎

affectは他動詞だからonは不要だよ。Smoking negatively affects your health.になる。

先生

○ **Smoking** has a negative effect on **your health.**
Smoking negatively affects **your health.**

練習 ▶ 次の英文の誤りを正しましょう。

❶ A healthy work-life balance give positive effect to physical and mental well-being.

❷ Excessive screen time adversely affect on student's academic performance.

❸ Oil spills negatively affect on the marine ecosystem.

❹ A data leak negatively affects on the company's reputation.

---

❶ A healthy work-life balance <u>has a positive effect on</u> physical and mental well-being.
❷ Excessive screen time adversely <u>affects students'</u> academic performance.
❸ Oil spills negatively <u>affect</u> the marine ecosystem.
❹ A data leak negatively <u>affects</u> the company's reputation.

ポジティブな内容ならimproveやenhance、ネガティブな内容ならdamageやhinderのような他動詞1語にすると間違いにくくなります。例えば2であれば、Excessive screen time hinders students' academic performance.になります。

訳 ▶
❶ 健康的なワーク・ライフ・バランスは、肉体的・精神的な健康によい影響を与える。
❷ 携帯の画面を見すぎると学生たちの成績に悪影響を与える。
❸ 石油流出は海洋生態系に悪影響を与える。
❹ データ漏洩は会社の評判に悪影響を与える。

Lesson 46 succeed の使い方

以下の日本語を英語にしてみましょう。

私たちはそのプロジェクトで成功した。

よくあるミス

✕ **We successed the project.**

 ルール success は名詞、動詞は succeed。

 先生
「成功」という意味の名詞successを動詞で使ってしまう人が多いんだ。

動詞はsucceedですよね。だからWe succeededにしないといけない。 花子

 先生
そうだね。しかもこの意味でのsucceedは自動詞だからinが必要なんだ。

We succeeded in the project. にしないといけないってことですね。 太郎

 先生
その通り。名詞のsuccessを使いたければachieveやattainを使って、We achieved [attained] success in the project. という言い方ができるよ。大成功を収めた場合には、enormousやtremendousを使って、We achieved enormous [tremendous] success in the project. にできる。形容詞を足してニュアンスを加えやすくなるのがachieve successを使うメリットだよ。

そこそこ成功した場合には何と言えばいいですか？ 太郎

 先生
modestやmoderateを使って、We achieved modest [moderate] success in the project. になる。こんなふうにかたまりで使えるようにしておこう。

> We succeeded in **the project.**
> We achieved success in **the project.**

練習 次の和文を英訳しましょう。

1 タケシはほんの3カ月でこの本を書くことに成功した。

「ほんの〜で」はin a matter of 〜。

2 カオルはイングランドで大成功を収めてきた。

3 ユウマは出版業界でまずまずの成功を収めてきた。

4 警察は標的の容疑者を逮捕することに成功した。

5 科学者グループは新しい災害予測技術の開発に成功した。

6 我が社はアメリカよりもアジアで成功を収めている。

解答

1 Takeshi succeeded in writing this book in a matter of three months.
2 Kaoru has achieved enormous [tremendous] success in England.
3 Yuma has achieved modest [moderate] success in the publishing industry.
4 The police succeeded in arresting their target suspect.
5 The group of scientists succeeded in developing a new disaster prediction technology.
6 Our company has achieved more success in Asia than in America.
上の文のachievedはattainedにもできます。

Lesson **47**

動詞

know と learn の使い分け

以下の日本語を英語にしてみましょう。

私はユウタが既婚者だと知った。

よくあるミス

✕ **I knew (that) Yuta was married.**

ルール 人から聞いて知ったこと、経験を通してわかったことは
learn。

先生

「私はサナに赤ちゃんがいると知った」を英語にしてみよう。

I knew (that) Sana had a baby. で大丈夫ですよね。
太郎

先生
惜しい！ knewだと、「既に知っていた」という意味になってしまう。「ね
えねえ、サナって赤ちゃんがいるんだって」「へえ！ そうなんだ!」のよ
うに人から聞いて知る場合には、knowではなくてlearnを使うんだ。

I learned (that) Sana had a baby. にしないといけないってことです
ね。

花子

太郎
このlearnって、hearに近い意味ですね。

そうだね！ じゃあ、「彼が既婚者だと知った」の場合には?

先生

花子
同じようにlearnを使うってことですね。

その通り。「ユウタって既婚者なのよ」と人から聞かされた状況なら、I
learned (that) Yuta was married. になるよ。

先生

106

○ I learned [heard] (that) Yuta was married.

練習 ＞ 次の日本語を英語に訳しましょう。

1 ケンジがカナダで家族と新しい生活を始めることを知った。

2 タカヒコは、この本を読めばライティングのスキルが上げられると
知っていた。

3 ナミはハナがかつてタイの首都バンコクに暮らしていたことを知った。

4 ティムは祖母が息を引き取ったことを知った。

「息を引き取る」はtake one's last breath。

5 私の妻が教職を解雇されたことは知っている。

「不要になる、解雇される」はbe made redundant。

6 市民は、この国が2050年までに実質ゼロ排出に到達しないこ
とを知った。 「(温室効果ガスの)実質ゼロ排出」はnet-zero emissions。

解答例

1 I learned (that) Kenji was starting a new life in Canada with his family.
2 Takahiko knew (that) (reading) this book would polish up his writing skills.
3 Nami learned (that) Hana used to reside in Bangkok, the capital city of Thailand.
4 Tim learned (that) his grandmother had taken her last breath.
5 I know (that) my wife was made redundant from her teaching job.
6 The citizens learned (that) this nation would not reach net-zero emissions by 2050.
「知った」と「知っていた」をきちんと区別しましょう。前者はlearnedで後者は
knewになります。

Lesson 48 — noticeとrealizeの使い分け

以下の日本語を英語にしてみましょう。

私は心の健康の大事さに気づいた。

よくあるミス

✕ **I have noticed the importance of mental health.**

ルール

noticeは五感で瞬時に気づくこと、realizeはある程度 考えて気づくこと。

先生

noticeは「五感ですぐに気づく」こと、realizeは「あれこれ考えて気づく」 ことだよ。「私はＴシャツにシミがついているのに気づいた」の場合に はどっちを使うかな?

シミは目に見えるものだから、noticeを使いますね。

花子

先生

そうだね。だからI noticed a stain on my T-shirt.になるね。「私は 愛の持つ力に気づいた」の場合には?

いろいろ経験して、あれこれ考えて気づいたってことだからrealizeを 使います。

太郎

先生

そうだね。だからI have realized the power of love.になるよ。

同じように、心の健康の大事さも見たり聞いたりしてすぐにわかるもの ではなくて、あれこれ考えて実感するものだから、realizeを使うことに なりますね。

花子

先生

その通り! だからI have <u>realized</u> the importance of mental health. になるよ。

⭕ I have realized the importance of mental health.

練習 ▶ 次の英文の誤りがあれば正しましょう。

❶ Conan noticed (that) the window was left ajar.

*left ajar　少し開いたままになっている

❷ Nanami noticed how much she longed to return to her hometown.

❸ Ryoko didn't realize the inherent dangers of social media platforms.　*inherent　内在する

❹ Rebecca realized (that) her friend completely spaced out during the conference.　*space out　ぼんやりする

❺ It didn't take me long to notice the dire situation we were in.

❻ I failed to realize the no right turn sign.

解答

❶ このままでよい。
❷ noticed → realized
❸ このままでよい。
❹ realized → noticed
❺ notice → realize
❻ realize → notice

訳 ▶
❶ コナンは窓が少し開いていることに気づいた。
❷ ナナミはどれだけ自分が故郷に帰りたいのかわかった。
❸ リョウコはSNSに内在する危険性に気づかなかった。
　 SNSは英語ではsocial mediaと表すことが多い。
❹ レベッカは会見中、友人が完全にぼんやりしていることに気づいた。
❺ 自分たちが置かれている悲惨な状況に気づくのに時間はかからなかった。
❻ 右折禁止の標識に気づかなかった。

動詞

Lesson 49 ── look at と watch の使い分け

以下の日本語を英語にしてみましょう。

私は教室の時計を見た。

よくあるミス

✕ **I watched the classroom clock.**

ルール　原則として look at は「〜に目を向ける」、watch は「動きや変化に注目する」。

先生
「私たちは壁に貼ってある地図を見た」を英語にするとどうなるかな？

> We watched the map on the wall. になりますね。

太郎

先生
惜しい！　この文では watch は look at にしないといけないよ。look at は「目を向ける」という意味になる。watch は「動きや変化に注目する」という意味だから、地図のような動かないものには使わないんだ。

> We looked at the map on the wall. になるってことですね。

花子

先生
そうだね。じゃあ、「私たちはその珍しい鳥を見に行った」を英語にすると？

> We went to watch the rare bird. になります。

太郎

先生
その通り。バードウォッチングという言葉があるくらいだからね。鳥を観察する場合に使えることからも、「時間をかけて見る」という意味がwatch にはある。それも踏まえて「私は教室の時計を見た」を英語にすると？

太郎

時計って動いてますよね？　だから、I watched the classroom clock ...

花子

でも時計って、バードウォッチングみたいに動きや変化に注目して時間をかけて見るわけじゃないよね？

先生

そうだね。だから「目を向ける」という意味のlookを使ってI looked at the classroom clock. になるんだ。I checked the classroom clock. にすることもできる。でもwatch the clockにすると、「時間を気にして時計を見続ける」、つまり「終わりの時間ばかり気にする」という意味になってしまうんだ。

○ I looked at **the classroom clock.**

練習　次の英文の誤りを正しましょう。

❶ Minato watched cover of his favorite magazine.

❷ Aoi looked at this month's sale figure.

❸ Suttake looked at every move Shohei made in the game.

❹ I looked at the share price plummet.

❺ My dermatologist watched my fingernails.

*dermatologist　皮膚科医

解答

❶ watched cover → looked at the cover
❷ this month's sale figure → this month's sales figures　売り上げは常にsales。
❸ looked at → watched
❹ looked at → watched
❺ watched → looked at

訳
❶ ミナトはお気に入りの雑誌の表紙を見た。
❷ アオイは今月の売り上げの数値を見た。
❸ その試合でスッタケはショウヘイの一挙手一投足を見ていた。
❹ 私は株価の急落を見守った。
❺ 私の皮膚科医は私の手の爪を見た。

Lesson 50

「〜するようになる」を表す

以下の日本語を英語にしてみましょう。

エリカはヒデのことが大好きになった。

Erika became to love Hide.

 「〜するようになる」はbecome to *do* ではない。

先生

「〜するようになる」という内容を表すのに、become to *do* は間違いなんだ。

come to *do* を使って、Erika came to love Hide. にしないといけないですね。

花子

先生

お見事！ come to *do* は「経験を通して自然と〜するようになる」というニュアンスで、「〜」には、appreciate, know, love, realize, respect, think, understandのような動詞がくるのが普通なんだ。進行形にできない動詞として習うことの多い状態動詞（始めたり終わらせたり、中断したりできない動詞）と呼ばれるものだよ。

エリカは自然とヒデのことが大好きになったんだから、came to loveはぴったりですね。

太郎

先生

そうだね。積極的に学んで徐々にできるようになった場合、例えば努力して中華料理が作れるようになった場合には、I have learned to cook Chinese food. になる。

Erika has learned to love Hide. にしてしまうと、どうしても好きになれなかったんだけど、努力してやっと好きになれたことになってしまいますね。

花子

先生　その通り。繰り返しになるけれど、come to *do* は「自然と〜すること」、learn to do は「積極的に学んで徐々に〜できるようになること」ということだと覚えておこう。

○ **Erika** has come to love **Hide.**

練習　次の英文の誤りを正しましょう。

❶ Takeshi has become to respect Shinobu, one of his former colleague.

❷ Yuito has become to speak English, world's lingua franca.

*lingua franca　共通語

❸ Shuntaro has become to realize the importance of living in present moment.

❹ As the years go by, I have become to realize that death is an inevitable part of life.

解答

❶ Takeshi has <u>come to</u> respect Shinobu, one of his former <u>colleagues</u>.
❷ Yuito has <u>learned to</u> speak English, <u>the</u> world's lingua franca.
❸ Shuntaro has <u>come to</u> realize the importance of living in <u>the</u> present moment.
❹ As the years go by, I have <u>come to</u> realize that death is an inevitable part of life.

「〜するようになる」を「〜し始める」と考えて、begin to *do* も使えます。例えば①であれば、come to respect は、begun to respect にできます。

訳　❶ タケシは元同僚の1人のシノブを尊敬するようになった。
　　❷ ユイトは世界の共通語である英語を話すようになった。
　　❸ シュンタロウは今この瞬間を生きることの大切さがわかるようになった。
　　❹ 年月が経つにつれ、死は人生の避けられない一部だとわかるようになった。

Lesson 51 — belong to の使い方

以下の日本語を英語にしてみましょう。

私はハーバード大学に在籍しています。

よくあるミス

✗ **I belong to Harvard.**

ルール　belong to は考えや興味の対象が同じ人たちの集団に使う。

先生

「私は高校時代にサッカー部に所属していた」を英語にすると I belonged to the soccer club in high school. になるね。サッカー部はみんなサッカーという同じものに興味のある人たちの集まり。その場合には belong to が使えるんだ。

でも「私はハーバード大学在籍です」は I belong to Harvard. にできないってことですか？　大学はいろんな学部があって、さまざまなことに興味がある人たちの集まりだから？

太郎

先生

その通り。だから I belong to Harvard. ではなく、I study at Harvard. や I am a student at Harvard. のような言い方をするんだ。「同じような人が集まっている」というイメージを理解しておくと、「この本の置き場所はここだ」という意味の The books belong here. のような英文も理解しやすくなるよ。

サッカー部にいると同じサッカー好きの人たちに囲まれている。同じように本もちゃんとあるべき所にあれば、同じジャンルのものに囲まれていることになるからですね。

花子

先生

そうだね。I don't belong here. というと、自分だけ周りの人と違うことになるね。例えばサッカー選手の中に野球選手が1人混じっているような状況だね。

「ここは僕のいるべきところじゃない」って意味になりますね。

太郎

先生

お見事！ belongの「同じような人や物の集まりの一部」というニュアンスが理解できたね！

○ I study at **Harvard.**
I am a student at **Harvard.**

練習 ▷ 次の英文に誤りがあれば正しましょう。

❶ She used to belong to a church in my hometown.

❷ My father belongs to Toyota.

❸ Heather and I belong to the engineering department.

解答

❶ このままでよい。教会は同じ宗教を信じる人の集まり。
❷ My father works for [at/in] Toyota.
　企業にはいろんな部署があって人それぞれ興味の対象が違う。
❸ このままでよい。同じ部署の人たちは同じ仕事に関心が向いている。

訳 ▶
❶ 彼女はかつて私の故郷の教会に所属していた。
❷ 私の父はトヨタで働いている。
❸ ヘザーと私はエンジニアリング部門に所属している。

Lesson 52 — I think のニュアンス

以下の日本語を英語にしてみましょう。

私はタイ語を学びたいと思っています。

よくあるミス

⚠ I think I want to learn Thai.

ルール 《I think 主語＋動詞》は「確信はないけれど（主語）は ～する」。

先生

「～だと思います」や「～だと思っています」という日本語につられて、I thinkを連発してしまう人が多い。例えば総理大臣が消費税減税について、（Iを強く読まずに）"I think I'll cut consumption tax." と言ってしまうと、「確信はないが、消費税を減税すると思う」、つまり「消費税を減税するんじゃないかな」という意味になってしまう。断固として実行する意思があるのなら、I think は不要。逆に断定を避けたいときには I think で始めるんだよ。

例えば、本当にタイ語を勉強したいのであれば、I think I want to learn Thai. ではなく、I want to learn Thai. と言うべきですね。

花子

先生

その通り。ちなみに固く信じている場合には、I think ではなく I believe が使えるよ。

とりあえず余計な I think は取るように心がければいいってことですね。

太郎

花子

I think you are right.

その I think って必要かな？

太郎

○ I want to learn Thai.

練習 次の英文の内容を断定する言い方に変えて、さらに間
違いがあれば正しましょう。

① I think English help us (to) connect with a vast world of
knowledge.

② I think kind word can heal wound that we may not even
know exist.

③ I think success often come from the courage to get out of
comfort zone.

④ I think cutting back on processed food is must if you want to
get rid of your stubborn belly fat.　*cut back on ~　~を控える、減らす

⑤ I think I want to start up new business with my soulmate.

解答

① English helps us (to) connect with a vast world of knowledge.
② Kind words can heal wounds that we may not even know exist.
③ Success often comes from the courage to get out of your [the] comfort zone.
　get out of *one*'s (the) comfort zone 「楽な状況から抜け出す」→「難しいことに挑戦
　してみる」。
④ Cutting back on processed food is a must if you want to get rid of your stubborn
　belly fat.
⑤ I want to start up a new business with my soulmate.

訳
① 英語のおかげで、広大な知識の世界とつながりやすくなる。
② 優しい言葉は、自分でも気づいてさえいないかもしれないような傷を癒してく
　れる。
③ 成功は、往々にして居心地のいい場所から抜け出す勇気から生まれるものだ。
④ 腹周りの頑固な脂肪を取り除きたいなら、加工食品を控えることは必須だ。
⑤ 私は心の友と新しいビジネスを始めたい。

Lesson 53 — 間接疑問文の語順

以下の日本語を英語にしてみましょう。

なぜミオが昨日休みだったか知らない。

よくあるミス

✕ I don't know why was Mio absent yesterday.

ルール 間接疑問文は肯定文と同じ語順。

先生

「あなたは何カ国に行ったことがありますか?」を英語にすると?

How many countries have you ever been to? ですね。

花子

太郎

How many countries have you ever visited? もあり。

そうだね。じゃあ「私はあなたが何カ国に行ったことがあるのか知りたい」はどうなる?

先生

太郎

I want to know の後ろにさっきの文を続けるだけだから、I want to know how many countries have you ever visited. になりますね。

惜しい。間接疑問文は肯定文と同じ語順になるんだよ。「クエスチョンマークがない場合には、疑問文の語順にならない」と覚えておこう。

先生

太郎

I want to know how many countries you have ever visited. になるってことですか?

そうだね。「なぜミオが昨日休みだったか知らない」を英語にすると?

先生

花子

I don't know why Mio was absent yesterday. になりますね。

その通り！

先生

> ⭕ **I don't know why** Mio **was absent yesterday.**

練習 ▷ 次の英文の誤りを正しましょう。

❶ I want to know how did she decide to change her career path.

❷ I'm curious where did Hinata go after party.

❸ I'm itching to know why have price of this coffee suddenly shot up. *be itching to do ~ 〜したくてうずうずしている

❹ Do you mind if I ask you when did you first discover your passion for English?

❺ Tell me what do you value most in your friendships.

❻ I am eager to know how did you manage to increase your profit sixfold in less than a year. *-fold 〜倍

解答

❶ I want to know how <u>she decided</u> to change her career path.
❷ I'm curious where Hinata <u>went</u> after <u>the</u> party.
❸ I'm itching to know why <u>the</u> price of this coffee <u>has</u> suddenly shot up.
❹ Do you mind if I ask you when <u>you first discovered</u> your passion for English?
❺ Tell me what <u>you value</u> most in your friendships.
❻ I'm eager to know how <u>you managed</u> to increase your profit sixfold in less than a year.

訳
❶ 彼女がどうやって転職を決めたのか知りたい。
❷ パーティーの後、ヒナタがどこに行ったのか気になる。
❸ なぜこのコーヒーの値段が急に上がったのか気になって仕方がない。
❹ あなたが英語への情熱に目覚めたのはいつなのか教えてもらえますか。
❺ 友人関係で最も大切にしていることを教えてください。
❻ 1年足らずでどうやって利益を6倍にしたのか知りたい。

Lesson 54

and や so の
繰り返しを防ぐ（コツ1）

以下の日本語を英語にしてみましょう。

私は去年アメリカの大学で勉強して、英語の大事さがわかった。

 表現が重複しがち

 Last year I studied at an American university, and I realized the importance of English.

 ルール 《主語＋動詞，and 主語＋動詞》の繰り返しを避ける。

 先生
I failed a lot, but I kept studying hard for years, and I was able to pass that exam. という英文についてどう思うかな？

文法は間違っていないけれど、Iが3回使われていますね。 花子

 先生
こんなふうに同じ主語で始まる文を、接続詞でつないだ英文は少し単調だね。《and 主語＋動詞》であれば、This hard workのような《This ＋前の節の内容を簡潔にまとめた名詞》を主語にして書き換えられる。難しければ This だけでも大丈夫だよ。その後ろは Lesson 37 で確認済みの《make OC》を続けてみよう。

This hard work makes it possible for me to pass the exam. にするってことですね！ 太郎

 先生
惜しい！ 過去の話をしているから…

This hard work made it possible for me to pass the exam. になりますね。 花子

先生 その通り。同じように冒頭の文のand I realized the importance of English.を書き換えると?

太郎 This made me realize the importance of English.ですか?

先生 合っているよ。Thisにexperienceなどの名詞を足すこともできるね。

花子 This overseas experienceみたいに形容詞を足すのはどうですか?

先生 さらに具体的になって読み手に優しくなるね!

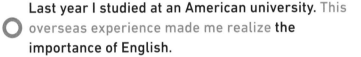

○ **Last year I studied at an American university.** This overseas experience made me realize **the importance of English.**

練習 ▷ 次の英文を《This + 名詞》を使って、so以下を書き換えてみましょう。

We hired some new faces, but their unfriendliness drove away many of our clients. So we had to rethink our hiring policy.

解答

We hired some new faces, but their unfriendliness drove away many of our clients. <u>This failure made us</u> rethink our hiring policy.

訳 ▶ 何人か新人を採用したが、彼らが友好的でなかったために多くの顧客が離れていった。この失敗を受けて、私たちは採用方針を見直すこととなった。

このように《This + 名詞》で始まる文は、前の文の原因や結果を述べていることが多いです。

Lesson 55 — and や so の繰り返しを防ぐ（コツ2）

Point 54 の英文の and 以下を〈, which〉を使って書き換えてみましょう。

私は去年アメリカの大学で勉強して、英語の大事さがわかった。

表現が重複しがち

Last year I studied at an American university, and I realized the importance of English.

ルール 《..., and 主語＋動詞》や《..., so 主語＋動詞》は〈, which〉を使って書き換えられる。

先生

..., and I realized the importance of English の〈, and〉は、〈, which〉を使って書き換えられるよ。

関係代名詞の非制限用法ですね。

花子

先生

その通り。ここでは which は「去年アメリカの大学で勉強した」という前の節の内容を指しているよ。その後ろはこれまで学習してきた《make OC》を使って書き換えられる。

, which makes me realize the importance of English. になるってことですね。

太郎

先生

惜しい。時制に気をつけよう。

過去の話をしているから、which <u>made</u> me realize the importance of English になる。

花子

先生

「過去にわかって今もその思いが続いている」という場合なら、which has made me realize the importance of Englishになるね。whichの後ろもこれまでと同様に、動詞の形に気をつけよう。

○ **Last year I studied at an American university,** which (has) made **me realize the importance of English.**

練習 〈, which〉を使って、次の英文のso や and 以下を書き換えてみましょう。

❶ **Recently, my sister adopted a puppy, so she was happier than ever.**

❷ **I read a thought-provoking book, and I reflected on my life.**
*thought-provoking　示唆に富む、考えさせられるような　　reflect on ~　～について熟考する

❸ **Although we hired some new faces, their unfriendliness drove away many of our clients, so we had to rethink our hiring policy.**

解答

❶ Recently, my sister adopted a puppy, which made her happier than ever.
❷ Although we hired some new faces, their unfriendliness drove away many of our clients, which made us rethink our hiring policy.
❸ I read a thought-provoking book, which made me reflect on my life.

②は made us rethink を caused us to rethink や led us to rethink にすることもできます。書き換えるとフォーマルな響きになります。

訳

❶ 最近、妹［姉］は子犬を引き取り、これまで以上に幸せになった。
❷ 何人か新人を採用したが、彼らが友好的でなかったことで多くの顧客が離れていったため、私たちは採用方針を見直すこととなった。
❸ 考えさせられる本を読み、自分の人生について思いを巡らせた。

Lesson 56

and や so などの
繰り返しを防ぐ（コツ3）

Point 55 の英文を分詞構文を使って書き換えてみましょう

私は去年アメリカの大学で勉強して、英語の大事さがわかった。

表現が重複しがち

Last year I studied at an American university, and I realized the importance of English.

ルール 《..., which do》は〈, doing〉という分詞構文にできる。

先生

Point 55 で、上の例文を Last year I studied at an American university, which (has) made me realize the importance of English. に書き換えたね。この〈, which made〉を、分詞構文を使ってさらに書き換えることができるよ。

, making me realize the importance of English にできるということですね。

花子

先生

その通り。which makes でも、which made でも、which has made でも、making にすればいいから、動詞の形を間違えるリスクが低くなるね。

○ **Last year I studied at an American university, making me realize the importance of English.**

次の英文の〈, which〉以下を分詞構文を使って書き
換えてみましょう。

❶ Recently, my sister adopted a puppy, which made her
happier than ever.

❷ I read a thought-provoking book, which made me reflect on
my life.

❸ Although we hired some new faces, their unfriendliness
drove away many of our clients, which led us to rethink our
hiring policy.

解答

❶ Recently, my sister adopted a puppy, making her happier than ever.
❷ I read a thought-provoking book, making me reflect on my life.
❸ Although we hired some new faces, their unfriendliness drove away many of our
clients, leading us to rethink our hiring policy.

訳

❶ 最近、妹［姉］は子犬を引き取り、これまで以上に幸せになった。
❷ 考えさせられる本を読み、自分の人生について思いを巡らせた。
❸ 何人か新人を採用したが、彼らが友好的でなかったことで多くの顧客が離れて
いったため、私たちは採用方針を見直すこととなった。

Lesson 57

譲歩 → 逆接

（…かもしれないが、〜だ）

以下の日本語を英語にして、その前後に加えるべき内容を考えてみましょう。

私はタイ料理が大好きだ。

 主張のみで譲歩がない

 I love Thai food very much.

 ルール　何か主張する前に譲歩を添える。

先生　内容を膨らませるために「タイ料理が大好きだ」の前に、「譲歩」を足してあげよう。

譲歩ってなんですか？
太郎

先生　「確かに〜ではあるが」のような内容だよ。例えば、「タイ料理が嫌いな人もいるが」のような内容を足してあげるんだ。

Some people may not like Thai food, but I love it very much. はどうですか？
花子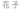

先生　完璧だね。some や may が次に but で逆接するサインになるよ。例えば Thai food might not be everyone's cup of tea, but I can't get enough of it. という表現を使ってみるのも面白い。one's cup of tea で「〜の好みに合うもの」、can't get enough of 〜 は「〜が大好き」という意味の口語的な表現だよ。

> Some **people** may **not like spicy food,** but **I love it very much.**
>
> ○ **Thai food** might **not be everyone's cup of tea,** but **I can't get enough of it.**

練習 > butの前に（　　　）に譲歩を添えてみましょう。アイデア が浮かばない場合には下の日本語訳を英語にしてみ ましょう。

❶ (　　　　　　), but we are willing to learn it.

❷ (　　　　　　), but I love going to the beach.

❸ (　　　　　　), but it is more important to live in the moment.

❹ (　　　　　　), but Yuito watched it again.

❺ (　　　　　　), but Simon cooked the beef stew.

❻ (　　　　　　), but he persisted in writing.

*persist in ~ *do*ing　粘り強く〜する

解答例

❶ It may take time to become fluent in English, ...
❷ The sand may stick to everything, ...
❸ Social media platforms may be tempting, ...
❹ The film was boring, ...
❺ The recipe was complicated, ...
❻ Shunsuke faced rejection from publishers, ...

Lesson 29~31で確認したhoweverやalthoughを使った逆接にも挑戦してみましょう。

訳 ▶
❶ 流暢になるのに時間はかかるだろうが、私たちは英語を勉強するのをいとわない。
❷ 砂まみれになるかもしれないが、私はビーチに行くのが大好きだ。
❸ SNSは魅力的かもしれないが、今を生きる方が大切だ。
❹ その映画はつまらなかったが、ユイトはもう一度見た。
❺ レシピは複雑だったが、サイモンはビーフシチューを作った。
❻ シュンスケは出版社に断られても、粘り強く執筆を続けた。

Lesson 58

譲歩 → 逆接 → 理由

（…かもしれないが、〜だ。なぜならー）

以下の日本語を英語で具体的に／自由に説明してみましょう。

タイ料理を嫌いな人もいるが、私は大好きだ。

譲歩→逆接だけで終わるのは中途半端

Thai food might not be everyone's cup of tea, but I can't get enough of it.

ルール 意見を述べる場合「譲歩→逆接→理由」を使うと効果的。

前のレッスンの続きだよ。Thai food might not be everyone's cup of tea, but I can't get enough of it. の後にはどんな内容がくるべきかな?

先生

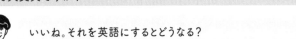
タイ料理が大好きな理由を言うべきですよね? 「辛いものが好きだから」で大丈夫ですか?

太郎

いいね。それを英語にするとどうなる?

先生

because I love spicy food. にできますね。

花子

会話なら、because I'm a huge fan of spicy dishes のように表せる。be a huge fan of 〜で「〜が大好き」という口語表現だよ。

先生

> **Thai food** might **not be everyone's cup of tea,** but **I can't get enough of it** because **I'm a huge fan of spicy dishes.**

次の英文に理由を添えてみましょう。

❶ It may take time to become fluent in English, but we are willing to learn it because ...

❷ The sand may stick to everything, but I love going to the beach because ...

❸ Social media platforms may be tempting, but it is more important to live in the moment because ...

❹ The film was boring, but Yuito watched it again because ....

❺ The recipe was complicated, but Simon cooked the beef stew because ...

❻ Shunsuke faced rejection from publishers, but he persisted in writing because ...

解答例

❶ because it can provide access to a vast amount of information.
❷ because it is a perfect escape from my daily grind.

*daily grind　日々の退屈な仕事

❸ because real memories come from firsthand experiences.
❹ because he aimed to acquire useful words and phrases.
❺ because it held a special place as his girlfriend's favorite dish.

*hold a special place (in *one*'s heart)　愛着がある

❻ because he had faith in his writing skills.

訳 ▶

❶ (時間はかかるかもしれないが、私たちが英語を勉強するのは)膨大な情報にアクセスできるからだ。
❷ (砂があらゆるところにくっつくが、私がビーチに行くのが大好きなのは)日々の退屈な仕事から逃れるのにうってつけだからだ。
❸ (SNSは魅力的だが、今を生きる方が大切なのは)本当の思い出は実体験から生まれるからだ。
❹ (その映画はつまらなかったが、ユイトがもう一度見たのは)役に立つ英単語やフレーズを身につけたかったからだった。
❺ (レシピは複雑だったが、サイモンがビーフシチューを作ったのは)彼女の好物として愛着があったからだ。
❻ (シュンスケが出版社に断られても執筆を続けたのは、)自分の文章力を信じていたからだ。

Lesson 59

譲歩→逆接→理由→具体例（…かもしれないが、〜だ。なぜなら―。例えば、）

以下の日本語を英語にして、さらに具体例を添えてみましょう：

タイ料理を嫌いな人もいるが、私は大好きだ。辛いものが大好きだからだ。

理由まで述べたら、具体例も添える

Thai food might not be everyone's cup of tea, but I can't get enough of it because I'm a huge fan of spicy dishes.

ルール 意見を述べる場合、「譲歩→逆接」の後に「理由＋具体例」も加えるとさらに効果的。

先生
前のレッスンの続きだよ。I can't get enough of it because I'm a huge fan of spicy dishes.まで書いて、譲歩→逆接→理由が整ったら、具体例を添えてあげよう。例えば「イタリア料理」を少し具体化すると、「パスタ」が挙げられるね。それをさらに具体化すると？

「カルボナーラ」になりますね。
花子

先生
いい感じだね。「イタリアン→パスタ→カルボナーラ」のように、例えばメニュー表を開いてから自分の目当てのものにたどり着くまでのプロセスを意識するといいよ。同じことをタイ料理でやってみようか。

「タイ料理 →タイカレー →グリーンカレー」が思い浮かびます。
太郎

花子
サワディーっていう家の近くのタイ料理屋によく行きます。グリーンカレーが辛くて、思わず水に手が伸びちゃうんですけど、また食べたくなっちゃうんです。

グリーンカレーについてさらに具体化できたね！ それを英語にすると
こんな感じになるよ。

先生

> Thai food might not be everyone's cup of tea, but
> I can't get enough of it because I'm a huge fan of
> spicy dishes. For example, I often go to a Thai
> restaurant named Sawasdee. Their spicy green
> curry always makes me reach for a glass of water,
> but I can't resist going back for more.

練習 次の英文に具体例を添えてみましょう。

1 We are willing to learn English because it can provide
access to a vast amount of information.

2 I love going to the beach because it is a perfect escape from
my daily grind.

3 It is more important to live in the moment because real
memories come from firsthand experiences.

解答例

1 For example, literacy skills allow us to enjoy numerous online newspaper articles.
2 For example, last week's visit to my hometown beach helped me unwind and
reduce my work stress.
3 For example, while at a bar in Taipei, instead of scrolling through Instagram feeds,
I struck up a conversation with the locals around me, which led to a memorable
story.　*strike up a conversation　会話を始める

訳
1 例えば、読み書きができれば、数多くのオンラインニュース記事を楽しめる。
2 例えば、先週故郷のビーチを訪れたことで、緊張がほぐれ、仕事のストレスが
軽減した。
3 例えば、台北のバーで、インスタグラムのフィードをスクロールする代わりに
周りにいた地元の人たちと会話をし、それが思い出深い話につながった。

Lesson 60 トピックセンテンスの書き方

以下の日本語を具体的な英語にしてみましょう。

外国語を学ぶと視野が広がる。

正しい文だが、内容が抽象的すぎる

Learning a foreign language broadens your horizons.

ルール トピックセンテンスはなるべく具体的に。

先生 どうして英語を勉強するのかな？

例えば、視野が広がるからです。
太郎

先生 それを英語にすると？

難しいですね…
太郎

先生 「視野を広げる」は broaden *one's* horizons と言うんだ。

Learning English broadens our horizons. になりますね。
花子

先生 その通り。じゃあ、それに例を足すと？

う〜ん。どうすればいいんだろう…
太郎

確かに悩ましいよね。こんなふうに段落の内容をまとめた主題文、つまりトピックセンテンスが抽象的すぎると、英語にできなかったり、例が加えられなかったりして、エッセイライティングで苦労してしまうことが多い。抽象度を下げて、例が加えやすいトピックセンテンスにすることが大切だよ。

「外国語を学ぶといろんな国の人と働きやすくなる」はどうですか？ Learning a foreign language makes it easier to work with people from different countries. にできますね。

 いい感じだね。それに例を加えると？

For example, English helps us do business with Americans. はどうですか？

 外国語から英語、色んな国の人からアメリカ人に、うまく具体化できたね！

○ **Learning a foreign language** makes it easier to work with people from different countries.

練習 次の英文に賛成する理由を述べて、具体例を足してみましょう。

Artificial intelligence (AI) can have a positive effect on people.

解答例

AI can help us work more efficiently. For example, AI-powered translation makes it easier for office workers to deal with documents sent from overseas clients.

訳 ▶ AIは私たちがより効率的に仕事をするのに役立つ。例えば、AI翻訳を活用することで、会社員は海外の取引先から送られてくる書類に対応しやすくなる。

イディオムを取り入れるには？

　英語を書いたり話したりする際に、使用頻度の高いさまざまなイディオム（慣用句）を取り入れることで、優れた語学力があることをうまくアピールできます。皮肉なことに、時代遅れのものを使うと不自然だったり、滑稽に聞こえたりすることさえあります。アカデミックなイディオムを学ぶのに私が頼りにしているのは、テレビやネットの時事番組で、主要なニュースについて深く掘り下げて討論しているものです。ジャーナリストや司会者は、皮肉やユーモアなどの効果を狙って戦略的に慣用句を使うことで、視聴者を魅了しようとします。このような番組では、文脈というおまけがついてくるので、とても簡単にイディオムを理解して覚えることができるのです。もっとくだけたイディオムなら、商品レビューの動画や記事がおすすめです。レビュアーはジャーナリストと同じ目的でイディオムを使いますが、聞き手を説得して影響を与えることを狙ったイディオムをさらにたくさん使います。私が聞いた例には、"A bite of this burger blew my mind."（このハンバーガーを一口食べたら度肝を抜かれた）や "These mattresses are selling like hot cakes."（このマットレスは飛ぶように売れている）などがあります。

　Incorporating a wide range of frequently used idioms in your written and spoken English is a great way to demonstrate your excellent command of the language. Ironically, using outdated idioms will make you sound unnatural or even comical. My go-to sources for academic idioms are current-affairs shows on TV or online that feature in-depth discussions of major news stories. Journalists and presenters strategically use idioms for effect, such as irony or humor, with the intention of captivating the audience. With these programs' added bonus of context, understanding and remembering idioms is a piece of cake. For more casual idioms, I recommend product review videos or articles. Reviewers use idioms for the same purposes as journalists but use many more that are intended to persuade and influence listeners. Here are some examples I have heard: "A bite of this burger blew my mind" and "These mattresses are selling like hot cakes."

ルールの応用

～30ワード
でのミス15

Chapter1でチェックした内容を意識して、
少しずつ長い文章を見ていきましょう。
文法的なミスを正した「○」の英文に加えて、
「レベルアップ」のリライトの例も確認すれば、
さまざまな場面のスピーキングとライティングで役立ちます。

以下の日本語を英語にしてみましょう。

私の同僚の1人はどのパーティーにも同じシャツを着て
くる。

よくあるミス

✕ **One of my colleague put on same shirt to every parties.**

ルールを
チェック

① one of の後ろの名詞の形は？　　　　　　　　　　（P.32）

② put on と wear の違いは？

③ 主語と動詞は合致している？　　　　　　　　　　（P.96）

④ same の前に必要なものは？　　　　　　　　　　（P.24）

⑤ every の後ろの名詞の形は？　　　　　　　　　　（P.34）

先生

①《one of the》や《one of 所有格》の後ろには複数形がくるから
one of my colleagues になるね。

その後に続くのは put on は puts on ですか？

太郎

先生

②put on は「身につける」という動作、wear は「身につけている」とい
う状態なんだ。前者を現在進行形にすると「着替えの最中だ」、後者を
現在進行形にすると「一時的に身につけている」という意味になるよ。
ここでは現在の習慣だから現在形の wear、そして③One が主語だか
ら動詞は wears になるよ。

その後の「同じシャツ」というのは1つに決まります。

太郎

先生

その通り！　だから④the same になる。最後に⑤every の後ろは可算
名詞の単数形になるね。

One of my ①**colleagues** ② ③**wears** ④**the same shirt
to every** ⑤**party.**

wear A to B で「AをBに着ていく（着てくる）」という意味の熟語として覚えておくと便利。

A colleague of mine always shows up in the same shirt at every party.

- a colleague of mine は one of my colleagues の言い換え。a friend of mine と同じ形になります。
- show up は「姿を現す」のような訳で覚えることが多いですが、実は come に似た意味を持っています。「彼はその大事な会議に遅れてきた」であれば、He showed up late for the important meeting. になります。

A colleague of mine has a favorite party shirt.

- 「いつもパーティーに同じシャツを着てくる」ということは、「お気に入りのパーティー用のシャツがある」とも解釈できます。このように発想を変えて英語にすれば、単語を知らないから書けない・言えないということが少なくなります。

My colleague's go-to party shirt never changes.

- go-to は「頼りになる」や「定番の」という意味の口語的な形容詞です。
- 「いつも同じ」ということは、逆に言えば「決して変わらない」ということです。このように always を使った内容を、never を使って逆目線で書く、という発想も重要です。

以下の日本語を英語にしてみましょう。

最近トモは初めて海外旅行に挑戦しようとした。

✕ Recently, at first, Tomo challenged to travel to abroad.

① recently と these days の違いは？ （P.54）
② at first の意味は？ （P.56）
③ カタカナ語の直訳は厳禁！ （P.26）
④ abroad の品詞は何か？ （P.68）

花子

recently の使い方がまだ心配です…。

先生

①recently は「ついこの間」、these days は「以前と違って今は」という意味。ここでの recently は過去形と一緒に正しく使われているよ。

花子

その次の部分、「初めて」は at first だとおかしいですよね。

先生

そうだね。②at first は「最初のうちは」という意味。「初めて」は for the first time になるよ。

花子

「挑戦した」は challenged ではダメですか？

先生

③「ケイは世界ランキング1位の選手に挑戦する」のように、人が目的語なら challenge を使って Kei will challenge the world's top-ranked player. という英語にできる。でも「物事に挑戦する」という意味では、challenge は使えないんだよ。「〜しようとする」なら try to do にしないといけないね。そして、④abroad は here や there と同様に副詞だから to は不要だよ。

⭕ ①Recently, ②for the first time, **Tomo** ③tried to travel ④abroad.

Not too long ago, Tomo had his first go at international travel.

- recentlyの代わりにnot too long agoが使えます。日常会話やアカデミックではない文章で使うのにぴったりの表現です。agoが含まれているので、過去形とセットで用います。
- 「初めて〜に挑戦する」は、have one's first go at 〜という口語表現を使って英訳できます。

Only recently has Tomo attempted his first trip beyond borders.

- 文頭に《Only＋副詞（のかたまり）》がくる場合、それに続く文は疑問文と同じ形の倒置になるため、has Tomo attemptedという語順になっています。この形にすると格式張った響きになり、強調の意味合いが加わります。
- attemptにはtryに似たような意味がありますが、使い方やニュアンスが少し違います。attemptの方が硬い表現で、「しっかりと計画を立てた上で難しいことに挑む」という意味合いがあります。「名前を思い出そうとする」のような準備のいらない事柄であれば、tryを使って、I tried to remember his name.が自然です。
- beyond bordersは「国境を越えて＝国外に」といった意味で、話し言葉よりも書き言葉でよく使われます。日本人であれば「海外に行く」＝「海を越える」なので、overseasに言い換えることも可能です。

Mini Column 2

カタカナ語の発音に注意

　学生の頃、Oasisというイギリスのロックバンドの大ファンだとネイティブスピーカーに伝えようとしたところ、全く通じないという出来事がありました。その原因は、Oasisを「オアシス」とカタカナ読みしてしまったことにあります。他にも、labelを「ラベル」と発音したために理解してもらえなかったこともあります。Oasisとlabelのaは共に二重母音で、「エイ」と発音するのが正しいですが、きちんと確認せずに覚えてしまっていたのです。みなさんもこのようにならないように、特にカタカナ語として日本語に定着している英単語については、スマホのアプリや電子辞書などで日頃から正しい発音をこまめにチェックしておくようにしましょう。（すったけ）

以下の日本語を英語にしてみましょう。

どんなに難しくても、エリカは故郷で親友に再会すること
をあきらめきれなかった。

✕　**However it was difficult, Erika could not give up meeting her best friend again in their hometown.**

　① However は正しく使えているか？　　　　　（P.74）
　　　② could not は正しく使えているか？　　　　　（P.88）
　　　③ give up *doing* をここで使うのは適切か？

　①very difficult → how difficult → however difficult → no matter how difficult の流れで考えると間違いに気づきやすくなるよ。
先生

ここでは However difficult it was の語順になりますね。
太郎

　次に、②「できた」なら過去に備わっていた能力と1回できたことを区
先生　別する必要があるけど、「できなかった」の場合にはどちらも could not で表現できるよ。③give up *doing* は give up smoking のように「して きたことをやめる」という意味だから、「友人との再会」のようなまだ実現 していないことには使えないんだ。その場合、give up the idea of *doing* を使って give up the idea of meeting と表せるよ。

他に言い換えたりもできますか？
太郎

　give up all hope of *doing* を否定文で使って could not give up
先生　all hope of meeting にすると、「再会の望みを捨てきれなかった」と いう意味になるね。

⭕ ①**However [No matter how] difficult it was,** Erika ②**could not** ③**give up** all hope of **meeting her best friend again in their hometown.**

Despite the odds, Erika held onto the hope of catching up with her best friend in their hometown.

- odds は何かが起こる「可能性」のことです。「宝くじに当たる確率はとても低い」The odds of winning a lottery are very slim. というように使えます。Despite the odds で「（低い）可能性にも関わらず」、つまり「困難にめげず」という意味です。
- 「つかんで離さない」という意味の hold onto は、ここでは「心の中に持ち続ける」という意味で使われています。
- catch up (with ~) という句動詞は、「（久しぶりに）～と近況を報告し合う」といった意味です。直接会ったり、電話で話したり、メッセージを交換したりする場合に、会話の中でよく使われます。

With all the setbacks, Erika remained determined to maintain a glimmer of hope for reuniting with her best friend in their hometown.

- with all ~ は「～にもかかわらず」という意味です。
- setback は「挫折」、つまり前進を止めたり遅らせたりするもののことです。この例では、病気や戦争などが理由で 2 人が再会できずにいた可能性があります。
- be determined to *do* で「～することを固く決意している」という意味になります。be の代わりに「～のままである」という意味の remain を使うことで、その状態が変わらないことを表せます。
- a glimmer of hope は「かすかな希望の光」、言い換えれば「わずかな可能性」のことです。「この新薬はアルツハイマー病と診断された人にかすかな希望の光を与えるかもしれない」であれば、This new medicine might provide a glimmer of hope to anyone diagnosed with Alzheimer's disease. と表せます。
- reunite with ~ で「～と再会する」という意味です。《動詞＋again》を re という接頭辞で始まる単語 1 語で言い換えると、硬い響きになります。例えば、restart の方が start again よりもフォーマルになるということです。

Lesson **04**　難易度 ★☆☆

以下の日本語を英語にしてみましょう。

外国で暮らすようになると、そこにいるだけでは成功できないことにすぐに気づく。

よくあるミス

✕ When you become to live in foreign country, you soon notice that you cannot success simply by being there.

ルールを
チェック

① become to *do* は間違い！　　　　　　　　　（P.112）

② country は可算／不可算名詞？　　　　　　　（P.14）

③ notice と realize の違いは？　　　　　　　（P.108）

④ success は何詞？　　　　　　　　　　　　　（P.104）

先生

「暮らすようになると」はここでは①「暮らし始める」という意味だから、begin to live にできるね。

②country は可算名詞なので a foreign country にします。

花子

先生

③notice は五感で気づくこと、realize はあれこれ考えて気づくこと。ただ外国にいるだけでは成功できないということは、あれこれ経験しながら考えた末に気づくことだから realize を使おう。

④success は名詞、succeed は動詞です。

花子

先生

その通り！　cannot は助動詞だから、もちろん動詞の原型がくるよ。

〇 When you ①begin to live in ②a foreign country, you soon ③realize that you cannot ④succeed simply by being there.

Those who begin a new chapter in life on foreign soil quickly discover that mere presence does not guarantee success.

- those who を使うことで people の繰り返しが防げます。
- a new chapter in ~ で「～の新たな1章」という意味です。
- ここでの discover は「悟る」という意味で、realize の類義語です。
- foreign soil は「外国」という意味のやや詩的な表現で、会話で使われることは少ないですが、書き言葉ではよく用いられます。例えば「軍隊が外国で戦うために派遣された」なら、The military was deployed to fight on foreign soil. になります。
- mere presence は「ただいること」という意味です。
- ここでの guarantee は lead to や result in の類義語ですが、A guarantee B で「AはBを保証する」、つまり「Aで必ずBになる」という強い因果関係を表しています。これを A do not guarantee B と否定にすることで、「Aだからといって必ずしもBにはなるわけではない」という内容が表現できます。

Starting a new life in a foreign country soon confronts you with the reality that merely being there does not lead to success.

- A confront B with C で「AがBにCを突きつける」という意味です。
- merely は「ただ」という意味の副詞で just や only の類義語です。「鎮痛剤は何かを治すものではなく、単に痛みを軽減するだけのものである」なら、Painkillers do not cure anything; it merely reduces pain. と言えます。merely の方がフォーマルで書き言葉向きですが、会話で使っても問題ありません。
- A lead to B で「Aの結果Bが生じる」という因果関係を表せます。類義語に result in があります。

以下の日本語を英語にしてみましょう。

キャプテンが不在になったため、3週間後に復帰するまでチームの士気に悪影響が出るだろう。

✕ **The absence of captain will negatively affect on team's morale by he will return after three weeks.**

① The absence of の役割は？　　　　　　　　（P.90）
② captain はこのままでよいか？　　　　　　　（P.24）
③ affect は自動詞か？　　　　　　　　　　　（P.102）
④ team's はこのままでよいか？　　　　　　　（P.36）
⑤ ここで by は適切か？
⑥ will return は正しいか？
⑦ ここで after は適切か？　　　　　　　　　　（P.80）

①the absence of ~ を使って、「~がいないこと」や「~がいなかったこと」という意味の名詞のかたまりを作れたね。ちなみに反対語（~があること）の the presence of ~ もよく使うよ。

②キャプテンはチームで1人に決まるので、the captain ですね。

その通り。③affect は他動詞なので on は不要だよ。④キャプテンが率いるチームも1つに決まってくるので、the team's になるね。

この「~まで」は by ~ だと何だか違う気が…。

⑤この by が間違いの理由は2つ。まず、by は接続詞として使えないので後ろに《主語(S)＋動詞(V)》は続けられない。意味的にも by を使うと、「~までに」という期限になってしまう。ここでは「~までずっと」という継続の内容だから、until を使わないといけないよ。⑥《until SV》のような時を表す副詞節の中の動詞は、未来のことでも現在形で表すんだ。

⑦現在から見た未来の「〜後」は in 〜 で表せます。

太郎

先生

その通り。in は時間の経過を表せるんだったね。

○ ①**The absence of** ②the **captain will negatively** ③**affect** ④the **team's morale** ⑤**until he** ⑥**returns** ⑦**in three weeks.**

レベルアップ！

Without their captain for the next three weeks, the team's morale will take a major hit.

- the absence of 〜 は「〜がいないこと」という意味の名詞のかたまりであるのに対して、ここでの without 〜 は「〜がいないことで」という副詞のかたまりになっています。
- take a hit は「悪い影響を受ける」という意味です。negatively affect の受動態である、be negatively affected の類義語です。例えば「従業員に不当な低賃金を支払っていたことが発覚し、彼の CEO としての評判は大打撃を受けた」なら、His reputation as a CEO took a major hit when he was caught underpaying his staff. と表せます。このように形容詞 major で修飾すると、hit の意味が強まります。

The team spirit will take a devastating blow while their leader remains sidelined for the next three weeks.

- take a major hit をさらに言い換えたものが take a devastating blow です。
- アスリートが be sidelined というのは、「（何らかの理由で）試合に出場できなくなる」ということです。be を remain にすることで、状態に変化がないことを表しています。

以下の日本語を英語にしてみましょう。

最近はほとんどの人がスマートフォンを持っているので、長距離のフライトで退屈する乗客は減っている。

Since most of people have smartphone nowadays, the number of passengers who get boring on long flights is decreasing.

① most の使い方は正しいか？ （P.38）
② smartphone はこのままでよいか？ （P.18）
③ nowadays の使い方は正しいか？ （P.54）
④ the number of ~ decreases を簡潔に表現する
　方法は？ （P.50）
⑤ boring の使い方は正しいか？ （P.48）

①people という冠詞や所有格が付いていない名詞を使って一般論を述べているので、most of の of は不要。most people になるよ。

先生

②smartphone は可算名詞。smartphones にします。

花子

③these days と同様に、nowadays は「前と違って今は」という意味。現在形の動詞と一緒に正しく使えているよ。④「～が減る」という内容は、fewer 可算名詞の複数形で表せる。the number of passengers who get bored on long flights is decreasing. よりも fewer passengers get bored on long flights. という方が簡潔になるね。

先生

⑤飛行機の旅客は退屈させる側ではなく、させられる側なので bored にするんですね。

花子

○ Since ① most people **have** ② smartphones ③ **nowadays,** ④ fewer passengers **get** ⑤ bored **on long flights.**

As most people these days own smartphones, passengers on long-haul flights are less likely to experience boredom.

- because同様にasやsinceも理由を表す接続詞として使えますが、asとsinceは「ご存知のように〜なので」のように、相手が知っている理由を述べる場合に使います。《As/Since 主語＋動詞, 主語＋動詞》のように文頭に置かれることが多いです。
- these daysとnowadaysの代わりに「今日」という意味のtodayを使うと、さらにフォーマルな響きになります。
- be less likely to doで「比較的〜しない傾向にある」という内容を表せます。これにつられてtendにもbeを付けてWe are tend to doにしてしまう人が多く見られますが、tendは一般動詞なので、We tend to doにしましょう。
- go throughとexperienceは類義語ですが、微妙な違いがあります。go throughの場合、困難なことや不快なことを「通り抜ける（切り抜ける）」ときに使うのが原則です。一方、experienceはネガティブなこともポジティブなことも目的語にできます。迷ったときはexperienceを使いましょう。
- get boredを使うのではなく、experience boredomとする方がフォーマルな響きになります。話し言葉でも書き言葉でも使えます。

The prevalence of smartphones has significantly decreased the incidence of boredom among passengers on extended flights.

- the prevalence of 〜はthe presence of 〜を強めたもので、「〜が普及していること」という意味の名詞のかたまりが作れます。これを使うことで、The prevalence of disinformation online might wreak havoc on the next US presidential election. (ネット上に偽情報が蔓延して、次期米大統領選は大混乱に陥るかもしれない) といった文が作れます。wreak havoc on 〜 (〜に大損害を与える) はhave a negative effect on 〜の意味を強めたものです。
- 副詞を使って動詞の意味に強弱を付けましょう。decreaseであればsignificantly (著しく) やdramatically (劇的に) を使って強めたり、slightly (わずかに) を使って弱めたりすることができます。

以下の日本語を英語にしてみましょう。

私たち日本人にとって新しい言語を学ぶことは簡単ではない。特に英語は難しい。

 We Japanese are not easy to learn new language. Especially, English is difficult.

 ① We Japanese はどんな感じに聞こえる？
② 「簡単」や「難しい」を表すとき仮主語で使えるものは？
（P.42）
③ language だけだとどんな意味になってしまう？
（P.16）
④ especiallyを使って典型例を挙げる方法は？ （P.60）
⑤ 典型例を挙げた後には何が必要？ （P.62）

 太郎

冒頭の表現は使えそうな気もするけれど…。

①We Japaneseにすると、「あなたたち外国人と違って私たち日本人は」のように排他的な響きになってしまうよ。Japanese peopleにしよう。ここでは②itを仮主語にしてIt is not easy for Japanese people to learnにできるね。

 先生

 太郎

languageはa languageにした方がよさそうです。

その通り！ ③languageという不可算名詞にすると「言語という概念」、a languageという可算名詞にすると、日本語やフランス語といったような「具体的な言語」になるんだったね。それから典型例はa new language, ④especially Englishのように、前の名詞に直接続ける方法があったね。

 先生

 太郎

その後には、⑤This is because ...のように理由を提示できますね。

① ②It is not easy for Japanese people to learn ③a new language④, especially **English**. ⑤This is partly because **its sounds are completely different from those of the Japanese language.**

日本人にとって新しい言語、特に英語を学ぶのは簡単ではない。その理由の１つは、英語の音が日本語とは全く異なるからである。

This is partly because ... にすると、同程度のいくつかある理由の１つを挙げることになります。代表的な理由を１つ挙げる場合には This is mainly because ... や、This is chiefly because ... が使えます。

> レベルアップ！ ▶ ネイティブの言い換えアイデア

It is no walk in the park for Japanese people to master a new language, especially English. One reason for this is that it sounds nothing like the Japanese language.

- a walk in the park（公園内の散歩）は、散歩のようなノリでできる「簡単なこと」という意味。「その試合でドイツに勝つのは日本にとって簡単なことだった」なら、Beating Germany in that match was a walk in the park for Japan. になります。

Acquiring proficiency in a foreign language, particularly English, poses challenges for Japanese people. This can be in part attributed to the stark contrast in phonetic characteristics between English and Japanese.

- acquire は「手に入れる」という意味の動詞で、obtain の類義語です。
- ここでは especially の類義語の particularly を使って典型例を挙げています。
- A pose a challenge for B は「A は B に難題を突きつける」という意味です。難題が複数ある場合には challenges にしましょう。A is difficult for B の言い換えとして覚えておくと、スピーキングやライティングの両方で役立ちます。例えば「在宅勤務は幼い子どもを持つ多くの親にとって様々な面で難しい」なら、Working from home poses challenges for parents with young children. になります。challenges は、considerable（かなりの）、formidable（手ごわい）、significant（重大な）といった形容詞で強調できます。
- A is attributed [attributable] to B（A を B に帰する）は「A の原因は B にある」という意味になります。A is due to B の類義表現です。
- 2つのものに大きな違いがある場合、a stark contrast（著しい相違）という表現を使うことができます。

以下の日本語を英語にしてみましょう。

父と日々接することで、社会人になるということはどういうことなのかを教わったのかもしれない。

 よくあるミス

✕ **My everyday interactions with my father might make it possible for me to learn what it means to be a member of society.**

 ルールをチェック

① My everyday interactions with my father は正しい？

② might make it possible で過去の意味になるか？
(P.94)

③ 《make 目的語（O）＋補語（C）》に頼りすぎない
(P.84)

④ 社会人は a member of society でよいか？

 先生

①I interacted with my father every day. のような I（主格）で始まる文を繰り返さないためのテクニックの1つは、My のような所有格で文を始めることだよ。My everyday interactions with my father のような名詞のかたまりが作れると、これまで見てきた《make OC》もさらに使いこなせるようになる。interaction ではなくて interactions にすることで、「具体的にいろいろとやり取りをしてきた」という意味合いになっているね。

②may は might にしても過去の意味にはならなかったと思います。

  太郎

 先生

その通り！ 推量の意味合いが弱くなるだけ。「～だったかもしれない」という過去の推量は、《may [might] have ＋過去分詞》にしないといけないね。③may have の後ろに、made it possible for me to learn を続けてもいいけれど、1語で簡潔に言える方法がないか考える習慣も身につけておきたい。ここでは「父とのやり取りが教えてくれた」と考えて、taught が使えるよ。

「社会人」はどういう英語にするといいんだろう…。

太郎

先生

⑥a member of societyにしてしまうと、「社会に生きる人」という意味になって、子どもや学生も含まれてしまう。単純に「大人」と考えて、an adultにするとニュアンスが伝わりやすいよ。what it means to be ～ の直訳は「～であることが意味すること」だけど、「～のあり方」という意味の名詞のかたまりとして覚えておくと使いやすくなるね。

⭕ ①My everyday interactions **with my father** ②may have ③**taught me** what it means to be ④an adult.

レベルアップ! ネイティブの言い換えアイデア

My daily conversations with my father may have given me an insight into what being a grownup is all about.

- insight はin + sightで「中まで見ること」という意味なので、understanding以上に「深い理解」ということになります。例えば、A documentary on WWII has given the audience an insight into the pain and suffering that millions of civilians had to endure. で「第二次世界大戦のドキュメンタリーを見て、観客は何百万人もの市民が耐えなければならなかった苦痛と苦悩を深く理解することとなった」という意味になります。A give B an insight into Cで「AのおかげでBはCを深く理解することができる」と覚えておきましょう。
- what ～ is all aboutはwhat it means to be ～の言い換えです。訳しにくいフレーズですが、「～の本質」という意味の名詞のかたまりだと考えると使いやすいです。

Perhaps my everyday conversations with my father helped me appreciate the essence of adulthood.

- perhapsという副詞はmaybeに置き換えられます。ただし、前者はどちらかというとフォーマルで、後者は比較的くだけた響きがあります。
- ここでのappreciateはunderstand fullyという意味合いです。
- the essence of ～はthe most important part of ～と同義です。essentialという形容詞はextremely importantという意味なので、それを名詞にしたessenceは「真髄」、つまり「一番大事なところ」という意味になります。例えば「一貫性はブランディングで何より大切なことだ」なら、Consistency is the essence of branding. と表現できますね。
- adulthoodは「大人の生活」という意味です。「社会人としての生活」という意味だと考えて問題ありません。

以下の日本語を英語にしてみましょう。

一学期の間、日本のほとんどの学生は、自宅からオンライン講座にアクセスすることで、必修科目の基礎を習得することができた。

While first semester, almost students in Japan could learn basics of essential subjects by accessing to online courses from home.

① while の品詞は何か？

② first のような序数の前に必要なものは？　　（P.24）

③ almost は何詞か？　　（P.40）

④ 「何とかできた」は could *do* でよいか？　　（P.82）

⑤ basics の前に必要なものは？

⑥ access は自動詞か他動詞か？

①While は接続詞だから《While 主語（S）＋動詞（V）》という形になる。でもここでは後ろが期間を表す名詞のかたまりになっているから前置詞の During になるよ。《While SV, SV》の2つのSが同じ場合には、while *doing* という分詞構文的な作りになることもあるけれど、during *doing* は間違いだから気をつけよう。②first のような序数の前には原則として定冠詞が必要。the 21st century と同じだよ。

先生

その次は…almost students とは言えないですね。

太郎

よく覚えていたね。③almost は副詞で名詞を修飾できないから、most にしないといけないよ。almost all にすると意味が強まるよ。

先生

この文脈では students in Japan could learn basics の部分も違う気がします。

太郎

先生

そうだね。④could *do* は過去を表す副詞のかたまりと一緒に使うと、「過去に〜する能力があった」という意味になってしまうんだったね。頑張って何とかできた場合には managed to *do* が使えるよ。あとは、⑤the basics of 〜 で「〜の基礎」という意味になる。⑥access は他動詞だから後ろに前置詞は不要だよ。

○ ①During ②the **first semester,** ③most **students in Japan** ④managed to learn ⑤the basics of **essential subjects by** ⑥accessing **online courses from home.**

レベルアップ！　ネイティブの言い換えアイデア

During the first semester, almost all students across Japan acquired the ABCs of essential subjects from home thanks to the online lessons provided by schools.

- almost all は most の類義語ですが、ただ過半数を超えているだけでなく、「グループのほぼ全員が含まれていて 100% に近い」という強い意味合いになります。
- in Japan を across Japan にすることで、「日本中の」という意味に言い換えています。
- the ABCs of 〜 は the basics of 〜 の言い換えです。
- thanks to 〜 は「〜のおかげで」という意味です。皮肉を込めてネガティブな内容を表すこともあります。
- the online lessons provided by schools の "provide lessons" というコロケーションに注目。特にライティングでは give に頼りすぎず、名詞との組み合わせを意識してなるべく他の動詞を使うようにしましょう。

The first semester saw the majority of students in Japan obtain fundamental knowledge in core subjects, such as English, mathematics and science, through the utilization of online educational platforms accessible from the comfort of their own homes.

- see は時代や場所を主語にできます。
- the majority of は most と本質的に同じ意味です。
- 名詞とのコロケーションを意識して、get の代わりに他の動詞を使えるようにしましょう。knowledge という名詞なら、obtain の他にも gain や acquire といった動詞が使えます。
- fundamental には basic と important が合わさったようなニュアンスがあります。
- 名詞を述べた後に、such as を使って具体例を加えることで、読者の興味を高めて、内容を理解しやすくできます。例は 3 つ挙げるのがおすすめです。

以下の日本語を英語にしてみましょう。

ヒデは、集中できないことが娘の学業に悪影響を与え、
上位の成績がとれないことを知った。

✕ **Hide knew that his daughter couldn't focus, and that gave negative effect to her schoolwork, so she couldn't get top grades.**

① 「知った」はknewでよいか？ （P.108）

② couldn't *do* を使わずに「～できなかった」を表す
　方法は？ （P.90）

③ 「～に悪影響を与える」はgive negative effect
　to ~ でよい？ （P.102）

④ 《so 主語 couldn't *do*》を書き換える方法は？
　 （P.122～124）

⑤ getを避ける方法はないか？

太郎

確かknewは「既に知っていた」というニュアンスでしたよね。

先生

その通り！ ①「あれこれ考えて気づいた」という場合には、realizedや
learnedにしないといけなかった。②「～できること」はone's ability
to *do* で表現できるね。反対に「～できないこと」という意味ならone's
inability to *do* という英語にできるよ。

太郎

「～に悪影響を与える」は…。

先生

③have a negative effect on ~ になるよ。日本語につられたり、冠詞
を落としたりしないように気をつけよう。negativeの代わりにadverse
も使えるよ。④「その結果～できない」という内容は、which makes it
impossible for ~ to *do* が使えるよ。which prevents ~ from
doing も合わせて覚えておこう。それぞれmakingやpreventingとい
う分詞構文にすることもできる。

154

太郎 getはやっぱり言い換えた方がいいですか？

会話では便利だけれど、⑤ライティングではなるべくget以外の他の
動詞を使うように心がけよう。gradesという名詞と相性のよい動詞には、
achieveやattainがあるよ。

先生

○ Hide ①realized **that** ②his daughter's inability to
focus ③had an adverse effect on **her schoolwork,**
④preventing her from ⑤achieving **top grades.**

 レベルアップ！　ネイティブの言い換えアイデア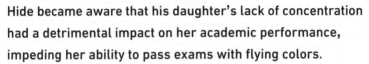

Hide became aware that his daughter's lack of concentration had a detrimental impact on her academic performance, impeding her ability to pass exams with flying colors.

- become aware は come to know の言い換えです。
- lack of ~ で「～が足りないこと」という名詞のかたまりになります。
- detrimental は harmful の類義語で「有害な」という意味、impact は effect の類義語で「強い影響」という意味です。have a detrimental impact on で覚えておきましょう。
- impede は何かを難しくしたり、既に進行中のものを止めたりすること、prevent はまだ起こっていないことを止めるという意味合いです。ここでは ability との組み合わせで、impede one's ability to do というかたまりで覚えておきましょう。impede の他に、limit や undermine や hinder も使えます。
- with flying colors で合格するということは、高得点を取って合格するということです。

Hide came to a gradual realization that his daughter's scattered attention had been hurting her academic results, thereby hindering her potential to achieve exemplary grades.

- realize that は come to a realization that にできます。gradual, sudden, belated という形容詞を覚えておくと、realization を修飾して「徐々に気づく」、「突然気づく」、「遅ればせながら気づく」のようなニュアンスを加えやすくなります。
- scattered attention は「気が散って特定のものに集中できないこと」という意味です。
- hurt は have a negative effect on と同様に、何かに悪影響を与えるという意味でも使えます。例えば「消費税率の引き上げは景況感を悪化させる」なら、Increasing the consumption tax rate will hurt business confidence. と表せます。
- 〈, doing〉という分詞構文に thus や thereby を加えると、結果を表していることが明確になります。exemplary は excellent の類義語です。

以下の日本語を英語にしてみましょう。

靴と自転車を盗まれたので、裸足で歩いて家に向かって
いたら、警察官に呼び止められて恥ずかしかった。

I was stolen my shoes and bicycle, so I was walking
barefoot to my house when I was stopped by police
officer, so I was so ashamed.

① I was stolen my shoes and bicycleという受
　動態は正しいか?

② whenはどのような意味で使われているか?

③ police officerの前に必要なものは?　　（P.14）

④《so 主語（S）＋動詞（V）》を言い換える方法は?

（P.122）

⑤ ashamedとembarrassedの違いは?

①Someone stole my shoes and bicycle. を受動態にすると、I was
stolen my shoes and bicycle. ではなく、My shoes and bicycle
were stolen. になるよ。Iを主語にしたければ、被害を表す《have 目
的語（O）＋補語（C）》を使って、I had my shoes and bicycle
stolen.にしないといけないね。「靴と自転車が盗まれた状態で」と考え
れば、付帯状況を表す《with OC》を使って、With my shoes and
bicycle stolenにすることもできる。

②ここでの《when SV》は「するとその時」という意味になっていると思
います。

そうだね。過去進行形や過去完了形の後ろにwhen SVがくるとその意
味になるね。このSVの内容は、「警察に呼び止められる」といったよう
な思いがけないことになっている場合が多いんだよ。

「呼び止められる」だからwhen I was stoppedで大丈夫ですね。

そうだね。③その後ろのpolice officerは可算名詞だから冠詞が必要。「とある警察官」という意味のa police officerにしよう。the police officerにすると「例の警察官」という意味になるね。

先生

④あと、soと言いたくなったら、前の節の内容を指す〈, which〉を使う方法がありました。

花子

その通り! ここでは〈, which was an embarrassing experience for me〉にできる。which wasを取って〈, an embarrassing experience for me〉にすると、さらに簡潔になるね。⑤ashamedは罪を犯したり道徳に反するようなことをしたりして心が痛むイメージ、embarrassedはへまをして顔が赤くなるイメージなんだ。この文脈では後者を使うのが適切だね。そうすると、I was embarrassedやIt was an embarrassing experience for me.にできる。embarrassedは恥ずかしめられる側、embarrassingは恥ずかしがらせる側だよ。

先生

○ ①With my shoes and bicycle stolen, I was walking barefoot to my house ②when I was stopped by ③a police officer ④, an ⑤embarrassing experience for me.

レベルアップ！ ネイティブの言い換えアイデア

Here's a cringe-worthy experience of mine. After having both my shoes and bicycle stolen, I was on my way back home without any footwear when a police officer stopped me.

- Here'sはHere isの短縮系です。「こんな〜な話があるんだよ」という意味で、相手の興味を引く効果があります。Hereは副詞なので、後ろの単数名詞an experienceが主語になります。
- cringe-worthy（決まりが悪い）はembarrassingの類義語です。これを使って恥ずかしさを強調する人もいます。
- 《After 主語（S）＋動詞（V）、主語（S）＋動詞（V）》の2つの主語（S）が同じ場合には、《After SV》を《After doing》にできます。
- I was stopped by a police officer. という受動態では「私に何が起こったのか」、A police officer stopped me. という能動態では、「警察が何をしたのか」ということに焦点が当たっています。

Bereft of both my shoes and bicycle, I had to go home barefoot, only to be intercepted by a police officer — a humiliating experience for me.

- bereft of ~ は「～を奪われた」という意味です。(As I was) bereft of... という後ろの節のIが意味上の主語になる分詞構文になっていますが、ここではwithoutに似た役割を果たしています。

- only to do は「残念ながら～しただけだ」という意味で、何かの直後に不愉快なことが起こり、驚いたり失望したりしたことを強調する際によく使われます。例えば「お気に入りのレストランに着いたが、その夜は予約でいっぱいだった」なら、I arrived at my favorite restaurant, only to find that it was fully booked for the night. と表現できます。

- 警察官などに呼び止められる状況は、stopよりもinterceptを使うとフォーマルな響きになります。interceptは人だけでなく物を止めるときにも使えます。「海上パトロール隊が違法銃器を積んだ漁船を捕まえた」という内容なら、Marine patrols intercepted a fishing vessel carrying illegal firearms. になります。

- ..., which was a humiliating experience for me からwhich wasを省略して、..., a humiliating experience for meや、— a humiliating experience for me にできます。

Mini Column 3

「ジェンダーニュートラル」な単語

　　男女を区別せずに公平な言葉を使うように心掛けることは、アウトプットする英単語の選択の上でも大切です。policemanやchairwomanのような一方の性に特化した単語を記事で目にすることは今現在もありますが、ノンバイナリーを自認する人も増え、言葉も進化を続ける中で、police officerやchairpersonのような性別を特定しない「ジェンダーニュートラル」な用語が定着してきています。職業名などでは特に、そのような単語を意識して覚えておき、話したり書いたりする際に取り入れていくことをおすすめします。

　　例えば、waiterやwaitressはserver、salesmanはsalespersonと呼ばれています。俳優も男女を区別せずにactorと呼ぶことが多くなっています。また、ノンバイナリーの人に言及する場合、"Ashley is a wonderful person. They always help people in need."のように、heやsheではなくtheyを使うこともあるのです。違和感があるかもしれませんが、文法的に正しいと考える人が増えています。(Taka)

類義語の覚え方

　類語辞典は便利なツールで、自分の使っている言葉に似た単語を探すのに役立ちます。ですが、載っている類義語が全て同じように使えるわけではありません。私が類語辞典でdifficultを引くと、類義語としてheavyが出てきました。例えばMy boss is difficult. のdifficultをheavy に書き換えたら、どうなってしまうでしょうか。文脈によっては不自然に聞こえてしまうこともあれば、意味が完全に変わってしまうこともあります。類義語の区別を学んで覚えるのに最も効果的な方法の1つは、その単語を含む文章をできるだけ多く読むことです。検索バーに [word] in a sentenceと入力すれば、その単語を使った例文の一覧が表示されるウェブサイトが見つかります。やがてパターンが見えてきて、類義語の微妙な違いがわかるようになること請け合いです。私にはこの方法が功を奏したので、みなさんにも効果が期待できると思います。

　　A thesaurus is a great tool for finding a word similar to one you are using, but not all its suggested synonyms are created equal. In fact, a thesaurus gave me *heavy* as a synonym of *difficult*. Imagine replacing *difficult* with *heavy* in a sentence, say, "My boss is difficult." Depending on the context, it could make the sentence sound unnatural or give you a whole new meaning. One of the most effective ways to learn and remember the distinction between synonyms is to read as many sentences as possible containing the words. Type ([word] in a sentence) in any search bar, and you will find websites that offer a list of sample sentences using the word. Believe me, you will eventually see a pattern and recognize the subtle differences in synonyms. This strategy has worked well for me, and I hope it does for you too.

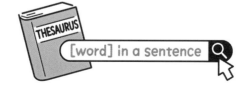

以下の日本語を英語にしてみましょう。

私は教授としてイギリスのケンブリッジ大学に所属することになっている。素晴らしい研究で（人々の）世界の見方を変えてきた大学だ。

 よくあるミス

 As a professor, I will belong to Cambridge University in UK, where changed the way we watch the world with amazing researches.

 ルールをチェック

① will と be going to *do* の違いは？　　　　　　（P.92）
② ここで belong to は適切か？　　　　　　　　　（P.114）
③ UK はこのままでよいか？
④ where は正しく使われているか？　　　　　　　（P.66）
⑤ changed は過去形でよいか？　　　　　　　　　（P.98）
⑥ watch の使い方は正しいか？　　　　　　　　　（P.110）
⑦ research は可算名詞か？

花子

ここでの「〜することになっている」はもう決まっている予定ですね。

そうだね。「所属することになっている」という場合、教鞭を取ることが決まっていて辞令も出ているから、be going to *do* を使うのが適切だよ。①will はその場で主観的に決めたこと、be going to *do* は客観的な証拠があって、何かに向けて動き始めていることだったね。②belong to は同じ考え方を持つ人たちの集まりに所属するときに使うから、色々な考え方を持つ教授たちがいる大学の場合には不適切。ここでは「団体に加わる」という意味に取れば、join が使えるよ。

 先生

花子

③UK や US を名詞で使う場合には、the UK や the US のように定冠詞が必要ですね。

よく覚えていたね。④は、関係副詞の後ろにはいわゆる完全文がくるよ。でもwhere changedだと、主語が欠けている。だからrenowned professorsのような主語を足してあげよう。⑤changedの時制に関しては「変えて今に至る」という意味だから、過去形ではなくてhave changedという現在完了形を使うべきだよ。have fundamentally changedにすると、「根本的に変えた」という意味になるね。

 the way we watch the worldのwatchは違うと思います。

⑥世界の見方は「世界の捉え方」という意味になるね。see A as Bで「AをBと見なす」という意味になると知っている人は多いはず。そこからも「ある特定の見方をする」という意味の場合には、seeを使うことがわかるね。⑦researchは原則不可算名詞なんだよ。イギリスなどではhis researchesのように所有格が付くと複数になることもあるけどね。

As a professor, I ①**am going to** ②**join Cambridge University in** ③**the UK,** ④**where renowned professors** ⑤**have fundamentally changed the way we** ⑥**see the world with amazing** ⑦**research.**

レベルアップ！ ネイティブの言い換えアイデア

I am going to be a professor at Cambridge University in the UK, where eminent researchers have radically altered how we view the world with their game-changing discoveries.

- eminentな人とは、尊敬を集めている著名人のことです。例えば、著名な作家や科学者などがこれに当てはまります。
- seeと同様にviewも「特定の見方をする」という意味で使えます。
- a game changerは、途中出場して大きく試合の流れを変える選手のことです。転じて大きな変革をもたらすものにも使われています。例えば「GPSシステムの発明は、すべての道路利用者に大きな影響を与えた」は、The invention of the GPS system has been a game changer for all road users. と表せます。この意味で、A is a game changer for BはA has a positive effect on Bを強めたものと言えます。gameとchangerをハイフンでつないでgame-changingにすると形容詞として使えます。

I have secured a professorship at Cambridge University, an esteemed institution known for its distinguished professors, including Bertrand Russel, Charles Babbage and Issac Newton, who have contributed to reshaping our understanding of the world through groundbreaking research.

- ここでは get ではなく secure が使われています。secure には「困難を乗り越えて得る」というニュアンスがあります。例えば、食料が限られていた戦時中であれば、secure を使って I secured some food. にすると、苦労したというニュアンスがより伝わります。
- esteemed と distinguished は eminent の類義語です。famous の類義語として覚えておくと便利です。
- professors の後に including を使って3人の有名教授を挙げています。
- we understand the world を our understanding of the world という名詞のかたまりに置き換えています。we のような主格代名詞だけでなく、our のような所有格代名詞で始めて名詞のかたまりが作れると、表現の幅が広がります。
- change の代わりに「作り変える」という意味の動詞 reshape を使っていることにも注目しましょう。
- groundbreaking は game-changing の言い換えです。

以下の日本語を英語にしてみましょう。

ITが発達したおかげで、ほとんど誰でもネットに情報を投稿することができるので、世界中にフェイクニュースがあふれている。

　よくあるミス

✕

Thanks to the development of information technology, almost anyone can post the information on Internet, so there is a lot of fake news worldwide.

　ルールをチェック

① Thanks to 以外で始める方法はないか？　（P.84）
② almost は正しく使えているか？　（P.40）
③ information に定冠詞は必要か？　（P.20）
④ Internet の前に必要なものはないか？　（P.24）
⑤《so 主語（S）＋動詞（V）》の書き換えはないか？
　　　　　　　　　　　　　　　　　　　（P.122〜124）
⑥ there is を使わずに「〜がある」を表現できるか？

先生

①Thanks toを取って、後ろの名詞を直接主語にする方法があったね。The developmentで始めてみるということだよ。

almost anyoneは大丈夫そうです。

花子

先生

そうだね。②ここではalmostが後ろのanyoneのanyと組み合わさって、正しく使えているよ。③informationのような不可算名詞の一般論にはtheは不要だったね。the informationにしてしまうと、「例の情報」に聞こえるよ。

Internetは頭が大文字になっていますね。

花子

先生

④internetと小文字で始めることも多くなってきたけれど、どちらでも OK。でも名詞で使う場合には、必ず the が必要。the moon や the environment と同じだよ。The development of the Internet のような無生物主語の後で「〜できる」という内容を表すには、make it possible for 〜 to *do* や enable 〜 to *do* が使える。enable の類義語として allow も合わせて覚えておこう。

その次は so there is の部分ですね。

花子

先生

⑤《..., so SV》と書きたくなったら、〈, which leads to〉のような非制限用法の関係代名詞節を続ける方法があったね。〈, leading to〉のような分詞構文にすると、シンプルになるだけではなく、動詞の形を間違えなくなるというメリットもあるんだ。⑥「〜があること」という意味の名詞のかたまりは the presence of 〜 になるんだったね。その応用で、「〜が広まっていること」という意味の場合には、the spread of 〜 や the proliferation of 〜 という名詞のかたまりが使えるよ。

> ①The development of information technology allows ②almost anyone to post ③information on ④the internet⑤, leading to ⑥the spread of **fake news worldwide**.

レベルアップ！　ネイティブの言い換えアイデア

With the rise of information technology, almost all users can share information on the internet. Unfortunately, this results in the global proliferation of disinformation online.

- ここでの with は because of の言い換えで、rise は advance や progress の類義語になっています。with the rise of 〜 で「〜が発達したおかげで」という意味の副詞句のかたまりで覚えておきましょう。
- インターネットで何かを post することは、share することと同じで、どちらも「投稿する」という意味です。
- unfortunately も逆接を表す副詞で、「（しかし）残念ながら」という意味です。
- the proliferation of 〜 は the growth of 〜 や the spread of 〜 の言い換えです。
- disinformation は相手をだますことを意図した偽の情報のことで、fake news や fake information の類義語です。

The advent of information technology enables a vast majority of internet users to distribute almost any content, resulting in the dissemination of baseless claims across the world.

- advent は arrival や appearance の類義語です。この文脈では the invention of ~ のフォーマルな言い方として the advent of が使われています。例えば「オンラインショッピングが登場したことで海外市場でも商品やサービスを販売できる企業が増えた」であれば、The advent [invention] of online shopping has allowed more business to sell their goods and services in overseas markets. になります。

- a vast majority of は almost all の類義表現です。どちらもくだけた場面でもフォーマルな場面でも使えます。

- ここでの distribute は前述の post や share の言い換えです。

- 「~が広まる」や「~を広める」という意味の disseminate は spread という動詞の類義語として覚えておきましょう。その名詞を使った the dissemination of は、the spread of ~ や the proliferation of ~ と同様に、「~が広まっていること」という意味の名詞のかたまりになります。

- 〈, which results ...〉を分詞構文にした〈, resulting ...〉の形になっています。

Mini Column 5

試験で使用する単語のレベル

　ライティングやスピーキングの試験で高得点を取りたいからといって、むやみに難しい単語を使うのはおすすめできません。文脈に合わなかったり他の単語との組み合わせが不自然だったりして、せっかくの貴重な点数を失うことになりかねないからです。使い方があいまいな単語や表現を強引に組み込むのではなく、正しく使えるもので挑んでください。そのためにも、自信を持ってアウトプットで使うことを意識して、日頃から語彙の学習に取り組むようにしましょう。そのための第一歩が、本書で使った汎用性の高い単語やフレーズを何度も復習して定着させることです。(Taka)

Lesson **14** 　難易度 ★★★

以下の日本語を英語にしてみましょう。

教壇に立ち始めた頃は、なかなか生徒とコミュニケーションが取れなかったが、私に思いを伝えてくれる生徒が増えるにつれて、自分の仕事が徐々に好きになっていった。

 よくあるミス

 ✕

When I started standing on the platform, I was difficult to communicate with my students, however, I gradually became to love my job, as the number of students who shared their feelings with me increased.

ルールを チェック

① 「教壇に立ち始めた頃」は直訳でよいか？

② 「～するのが難しい」の英訳で主語にするのは？

　　　　　　　　　　　　　　　　　　　　　　　　（P.42）

③ however の品詞は何？　　　　　　　　　　　（P.70）

④ ここで became to を come to に正すのは適切か？

　　　　　　　　　　　　　　　　　　　　　　　（P.112）

⑤ the number of ～ increased の言い換えは？

　　　　　　　　　　　　　　　　　　　　　　　（P.50）

 先生

①「教壇に立ち始めた頃」は「教え始めた頃」という意味なので、started teaching にできるよ。直訳ではなく文脈から意味を考えて英語にしよう。

「なかなか生徒とコミュニケーションが取れなかった」は「～するのは難しい」ということですね。

 花子

 先生

だから②it を主語にして It is difficult for ～ to *do*. で表現できるよ。一緒に ～ find it difficult to *do*. も覚えておこう。ここでは I found it difficult to communicate with my students. という英語にできるね。③however は副詞。《主語（S）＋動詞（V）. However, 主語（S）＋動詞（V）》か、《SV; however, SV》にしよう。

166

花子

> become to love は違うと思います。

先生

④come to love になるね。love のような状態動詞の場合、come to *do* を使って「自然と〜するようになる」という意味を表せる。⑤「増える」という内容は、《more ＋ 名詞》を使うと簡単に表現できる。the number of students who shared their feelings with me increased よりも、more of them shared their feelings with me. の方が同じ内容を簡潔に表現しているね。

○ When I ①started teaching, ②I found it difficult to communicate with my students. ③However, I gradually ④came to love my job, as ⑤more of them shared their feelings with me.

レベルアップ！　ネイティブの言い換えアイデア

At the beginning of my teaching career, I had a hard time connecting with my students. However, as more of them opened up to me, I grew to love my job.

- 過去の文脈での at the beginning of ~ は「〜し始めた頃」という意味になります。
- have a hard time *do*ing で「〜するのに苦労する」という意味です。It is difficult for ~ to *do* の言い換えの1つです。
- connect with ~ は「〜と気持ちが通じる」というニュアンスです。
- open up to ~ は「〜に心を開く」という意味で、自分の考えや感情を言葉にすることです。
- grow to *do* は「時間をかけて徐々に〜するようになる」という意味で、like, love, hate, respect のような状態動詞がきます。例えば Jennifer grew to respect her math teacher. からは、最初のうちは数学の先生に対して肯定的な感情を持っていなかったのに、時が経つにつれて徐々に尊敬の念を持つようになったということがわかります。

Upon embarking on my teaching journey, I encountered challenges in effective communication with my students. Over time, my appreciation for my profession grew as more students began expressing their feelings to me.

- begin の類義語 embark on ~ は「難しいことや新しいことを始める」という意味です。embark on を embark upon にするとさらにフォーマルな響きになります。

- on *doing* は、「～するとすぐに」という表現です。on は接触を表すので embark と encounter という 2 つの行為の間に時間的な隙間がないということになり、「すぐに」という意味が生まれます。この文頭のように upon *doing* を使うと、ややフォーマルな響きになります。

- encounter の代わりに face を使うこともできます。face ~ と be faced with ~ は共に「～に直面している」という意味で、例えば「彼らは深刻な危機に直面している」は、They face a serious crisis. か They are faced with a serious crisis. で表せます。この 2 つを混同して face with にしないように気をつけましょう。

- over time は gradually の類義語です。

- appreciation for で「～への正しい認識」や「～への感謝」という意味になります。

- profession は job の言い換えで、特別な訓練や技術を必要とする専門的な仕事の場合に使います。教職もその 1 つです。

以下の日本語を英語にしてみましょう。

J.K. ローリングは、ハリーポッターを出版するのに最初は苦労したにもかかわらず、独創的な作品を通じて世界的に成功したとよく言われるが、このことから強い意志があれば問題は解決できることがわかる。

よくあるミス

✕ We are often said that despite she initially struggled to have *Harry Potter* published, J. K. Rowling globally successed through her imaginative works, showing how determination can answer problems.

ルールを
チェック

① We are often said that は正しいか？

② despite の品詞は何？

③ success の品詞は何？　　　　　　　　　（P.104）

④ works が複数形になっているのはなぜか？（P.14）

⑤ how の使い方は正しいか？

⑥ answer problems は正しい組み合わせか？

先生

①「私たちは〜だと言われる」という内容を、We are said that 主語（S）＋動詞（V）．にしてしまう人がかなりいるんだ。《We are told that SV》が正しい形だよ。said を使う場合には仮主語の It で始めて、《It is said that SV》という形になるんだ。②despite は前置詞だから、despite SV は間違いだよ。despite her initial failure のように、後ろには名詞のかたまりがくるべき。名詞のかたまりが上手く作れない場合には、despite the fact that SV を使う方法もあるけれど、although SV を使った方がシンプルな英文になるね。

③success は名詞だから successed は間違いですね。

太郎

そうだね。繰り返しになるけれど、successは名詞、succeedは動詞。successを使って「成功した」を表すには、achieve successにする方法があったね。これを使うとglobalやtremendousのような形容詞を使って色んなニュアンスを加えやすくなるよ。ここでは「成功して今に至る」なので、achievedという過去形ではなくhas achievedという現在完了形にしよう。④仕事という意味のworkは不可算名詞だけれど、ここでのworksは「作品」という意味の名詞。だから複数形でOKだよ。切っても切っても作品ということはないから、鶏やペンと同じカテゴリーの可算名詞ということだね。

showing howのhowは、僕だったらthatにしていたと思います。

太郎

鋭いね！ show that SVのような《他動詞that SV》のthatをhowにすると、感慨深い気持ちを表現できるんだ。

answer problemsも怪しい気がします。

太郎

⑥solve problemsが正しい表現だよ。answer questionsと混同しないようにしよう。

> ①It is often said that ②despite her initial struggle to publish *Harry Potter*, J. K. Rowling ③has achieved global success through her imaginative ④works, showing how determination can ⑤solve problems.

レベルアップ！ ネイティブの言い換えアイデア

Many know getting *Harry Potter* off the ground was a formidable challenge for J. K. Rowling, but now she is world-famous for her creative pieces. This goes to show that never giving up is the key to success.

- manyだけでもmany peopleという意味になります。
- *Do*ing is a formidable challenge for ~. は It is very difficult for ~ to *do*. の言い換えです。

- get ~ off the groundで「(計画など)を順調にスタートさせる」という意味です。「地面から離す」、つまり「打ち上げる」ということになるので、launchの類義語になります。
- 世界的に成功したというのは、簡単に言えば「世界的に有名」ということなので、be world-famousと表せます。
- This goes to show that SVで「SがVすることを物語っている」という意味になり、くだけた会話や文章でよく使います。例えば「ほとんど何もないところから始めて成功した人が何千人もいる。このことは、育ちでその人の将来が必ずしも決まるわけではないことを物語っている」という内容なら、There are thousands of successful people in the world who started with almost nothing. This goes to show that one's upbringing does not always determine their future. にできます。
- 何かが「key」だということは、極めて重要であるということです。

It is well known that the journey to publication of *Harry Potter* was anything but smooth for J.K. Rowling, who now has gained worldwide acclaim for her imaginative works, proving that persistence can conquer even the toughest obstacles.

- It is well known that SV. で「SがVすることはよく知られている」という意味です。well knownはfamousの類義語ですが、It is famous that SVは間違いなので気をつけましょう。
- anything but ~ は「まったく〜ない」という意味で、何かを強く否定したいときに最適です。このようなnotを使わない否定も覚えておきましょう。
- これまでのsuccessやrecognitionを賞賛という意味のacclaimで言い換えています。successやrecognitionのときと同様に、achieveをacclaimにすることもできますが、ここではさらに書き換えてgain acclaimにしました。earnを使って、earn successやearn recognitionにすることもできます。
- 〈, which proves ...〉を〈, proving ...〉という分詞構文にしています。
- 「障害を乗り越える」はovercome obstaclesという表現が使えますが、ここではconquerをいう動詞を用いています。「征服する」という意味で覚えることの多い動詞ですが、conquer cancerのように、病気や困難を克服するという意味でも使えます。
- even the toughest のように最上級をevenで修飾して内容を強調していることにも注目しましょう。「粘り強さをもってすれば、最高に困難な壁にさえ打ち勝つことができる」という意味です。

強意語のさじ加減

　very, significantly, extremelyのような強意語は、言いたいことを強調するのに便利な手段になり得ます。ただし、2つの点に留意することが大切です。1つ目は、強意語を足しても特に意味が変わらない場合には使わないこと。2つ目は、強意語が多過ぎると文章が単調になるため、もっと生き生きした言葉に置き換えることです。"decrease quickly"の代わりに自動詞のplummetを、"increase quickly"の代わりにskyrocketを選んでみましょう。このような力強い動詞を使うと文の流れがよくなり、発言の印象も強まります。例えば、"Cohen was extremely happy with his very lucrative business, which saw its sales increase significantly."という文にある冗長な強調語を削り、別の表現でまとめると、"Cohen was ecstatic with his lucrative business, which saw its sales skyrocket."になります。つまり、ある程度強意語を使う分には全く問題ありませんが、あくまで最小限にしようということです。

　Intensifiers like "very," "significantly," and "extremely" can be useful tools for emphasizing your message. However, it is important to keep two things in mind. First, avoid intensifiers if they add no significant meaning to the sentence. Second, too many intensifiers can render your sentences monotonous; replace them with more vibrant words. For example, use the intransitive verb *plummet* instead of "decrease quickly." Similarly, opt for *skyrocket* over "increase quickly." These powerful verbs can improve the flow of the sentence while enhancing the impact of your statement. Take this example sentence overloaded with intensifiers: Cohen was extremely happy with his very lucrative business, which saw its sales increase significantly." Let's clean up the sentence by removing redundant intensifiers and using alternative expressions: "Cohen was ecstatic with his lucrative business, which saw its sales skyrocket." The bottom line is, it is *totally* fine to use some intensifiers, but just keep them to a minimum.

Chapter

3

アウトプット実践

～140ワードの
ライティングに挑戦3

Chapter1, 2で身につけた力を使って、
どんどんアウトプットしていきましょう。
まずは「○解答例」にあるような
英文が書けることを目指します。
「◎ステップアップ」はさらなる模範例です。
そして、もっと上を目指したいみなさんは、
「レベルアップ①／②」の解答例・解説を参考に、
言い換え表現を自分のものにしましょう。

以下の主張に賛成するエッセイを、1〜4の構成を用いて100〜120ワードで書いてみましょう。

Humor is important.
ユーモアは大切だ。

1　譲歩

ユーモアは必要ないと主張する人もいるかもしれない。

2　逆接・理由

しかし、ユーモアは全ての国に存在し、日々の生活において重要な役割を果たしていると思う。

3　具体化

笑いがあれば、困難な状況でもストレスを減らして成功しやすくなる。

さらに具体化

高校3年生のとき、私は日本の最難関の大学入試の1つに挑戦することにした。ストレスであきらめそうになることもあった。そんなときには大好きなお笑いコンビの面白い10分動画を見てたくさん笑い、不安を減らすことができた。すると勉強する意欲を取り戻し、見事入試に合格できたのだ。

1 譲歩

ユーモアは必要ないと主張する人もいるかもしれない。

よくあるミス

✗ Some of people may argue that humors aren't necessary.

先生
- some of people のofは不要。mostの使い方と同じです。
- humorは「ユーモア」という意味では常に不可算名詞です。
- not necessary を unnecessary にするとフォーマルな響きになります。

○ Some people may argue that humor is unnecessary.

2 逆接・理由

しかし、ユーモアは全ての国に存在し、日々の生活において重要な役割を果たしていると思う。

よくあるミス

✗ ..., however, I think it exist in every countries and thus play important role in our daily life.

先生
- howeverは副詞なので2文は直接つなげません。セミコロンを使って《主語(S)＋動詞(V)；主語(S)＋動詞(V)》にするか、《SV. However, SV》のように2文に分けます。
- 事実を述べる場合にI thinkは不要です。
- 主語のitに合わせて動詞をexistsに変えます。
- everyの後ろは可算名詞の単数形がくるので、every country になります。
- play an important role in ~ で「~において重要な役割を果たす」という意味になります。決まり文句は冠詞を含めて正確に使いましょう。Humorという主語に合わせて動詞をplaysにするのも忘れずに。
- our daily life では、「夫婦のような複数の人々が1つの生活を共有していること」になってしまいます。「いろいろな人のさまざ

> まな生活」という意味にするには、our daily lives にします。

○ However, it exists in every country and thus plays an important role in our daily lives.

ステップアップ

- crucial, essential, vital のような important の類義語も使えるようにしておきましょう。

- and thus plays を thus playing という分詞構文にして言い換えられます。

◎ However, it exists in every country, thus playing an essential role in our daily lives.

(3) 具体化

笑いがあれば、困難な状況でもストレスを減らして成功しやすくなる。

よくあるミス

✗ Even in tough situation, if we laugh, we can reduce stress and success easier.

先生

- situation は可算名詞です。一般論を述べているので、複数形 situations にします。
- success は名詞、succeed が動詞です。reduce (stress) and succeed と、動詞が並列する形にします。
- easier は形容詞（の比較級）で、修飾するのは名詞です。ここでは動詞 reduce と succeed を修飾しているので、副詞 more easily にします。

○ Even in tough situations, if we laugh, we can reduce stress and succeed more easily.

動詞 laugh を動名詞 laughing にして主語に置き、後ろに make it possible for ~ to *do* を続けてみましょう。さらに laughing を不可算名詞の laughter にすると以下のように書き換えられます。

 Even in tough situations, laughter makes it possible for us to reduce stress and succeed more easily.

④ さらに具体化

高校3年生のとき、私は日本の最難関の大学入試の1つに挑戦することにした。

 よくあるミス

✕ **When I was high school senior, I decided to challenge one of the most difficult college entrance exam in Japan.**

 先生

- 「高校3年生」は可算名詞なので、不定冠詞を付けて a high school senior にします。
- 「物(ここでは試験)に挑戦する」の意味の場合、challenge は使えません。目標を持って何かを始めるときは、set out to *do*（start trying to *do* の意味）が使えます。ここでは set out to pass になります。
- one of the の後ろは複数名詞なので exam を exams にします。いろいろな入試の中の1つというイメージです。
- difficult に頼りすぎず、名詞とのコロケーションを意識して他の形容詞も使ってみましょう。exam なら、challenging（困難だがやりがいがある）や demanding（多大な努力を要する）で修飾できます。

○ **When I was a high school senior, I set out to pass one of the most challenging college entrance exams in Japan.**

《in＋所有格＋時期を表す名詞》で、「〜が…だった頃」という内容を簡潔に表現できます。「私が高校3年生の頃」であればin my senior year of high school、「私が子どもの頃」であれば、in my childhoodになります。backを使ってback in my senior year of high schoolやback in my childhoodにすると、「さかのぼること〜」というニュアンスが加わり、過去について言及していることが一層明確になります。

◎ **Back in my senior year of high school, I set out to pass one of the most challenging college entrance exams in Japan.**

ストレスであきらめそうになることもあった。

✗ **Sometimes I was stressed out, so I was about to give up taking the exam.**

 先生

- 《主語（S）＋動詞（V）, so 主語（S）＋動詞（V）》を繰り返してしまう場合には、最初の節の形容詞や副詞にsoを加えて、《so 〜 that SV》の構文を使うことができます。
- give up *doing*はgive up smokingのように「これまでやってきた習慣などをやめる」という意味です。taking the examのように「計画を断念する」場合には、give up the idea of *doing*を使って、give up the idea of taking the examにします。何を断念するのか文脈から明らかな場合は、give upの後ろに何も付けなくても大丈夫です。Never give up.と言えることからも、「断念する」という意味の自動詞としても使えることがわかります。

○ **Sometimes I was so stressed out that I was about to give up.**

「試験を受けるのをあきらめる」を「プレッシャーに屈する」と考えて、give in to the pressureにしてみましょう。give in to ~ は「~に屈する」という意味です。例えば「パトはダイエット中だっただが、誘惑に負けてチョコレートケーキを丸ごと平らげてしまった」であれば、Pato was on a diet, but he <u>gave in to</u> temptation and ate up a whole chocolate cake. になります。give in to ~ を yield to ~ にするとフォーマルな響きになります。

◎ **Sometimes I was so stressed out that I was about to give in to the pressure.**

そんなときには大好きなお笑いコンビの面白い10分動画を見てたくさん笑い、不安を減らすことができた。

よくあるミス

✕ **When that was happened, I looked at an interesting 10-minutes video of my favorite comedy duo, laughed a lot and reduced my stress.**

先生

- was happened を happened にします。happen や occur は自動詞なので、受動態になることはありません。
- looked at を watched にします。動画のように動きや変化に注目して見る場合には、watch を使います。
- 10-minutes を 10-minute にします。ハイフンでつないで形容詞にしたときは複数形になりません。
- interesting を funny にします。前者は「興味深い」、後者は「笑える」の意味です。「面白い」を英訳するときはこの2つの違いを意識しましょう。

〇 **When that happened, I watched a funny 10-minute video of my favorite comedy duo, laughed a lot and reduced my stress.**

- 冒頭のWhenをWheneverに代えて、動画の視聴が「習慣的な」ストレス解消法であるというニュアンスを強めましょう。

- watched a funny videoを動名詞 watching a funny videoにして主語に置き、文を書き換えてみましょう。続きをhelp ~ (to) *do* を使って書くと、watching a funny 10-minute video of my favorite comedy duo <u>helped me (to) laugh</u> ... になります。watchingを取って、A funny videoを直接主語にすることもできます。

- laughを副詞heartily（心から）で修飾してみましょう。a lotに頼らずに他の副詞を使うことも大切です。

- stressを形容詞accumulated（蓄積した）で修飾してみましょう。

 Whenever that happened, watching a funny 10-minute video of my favorite comedy duo helped me (to) laugh heartily and reduce my accumulated stress.

すると勉強する意欲を取り戻し、見事入試に合格できたのだ。

よくあるミス

 So, I could get back my motivation to study and pass entrance exam.

先生

- 「試験に合格した」のように、過去に1回できた（成功した）ことは could *do* はなく、was able to *do* やmanaged to *do* 使いましょう。passed successfully のように一般動詞の過去形を修飾して、うまくいったことを表すこともできます。

- examは可算名詞なので冠詞が必要です。ここでは前述のone of the most difficult college entrance exams in Japanのことなので、定冠詞を付けてthe entrance examにします。

So, I got back my motivation to study and passed the entrance exam successfully.

- Soの代わりにAs a resultを使うとかしこまった響きになります。

- get backもregainにすることでフォーマルな響きになります。試験のライティングセクションではgetに頼りすぎないようにしましょう。

- the entrance examはthe admissions testにもできます。同じ表現の繰り返しを避ける方法がないか常に意識しましょう。

- successfullyの代わりに、with flying colorsを使ってみましょう。「見事に」という意味のイディオムです。

◎ **As a result, I regained my motivation to study and passed the admissions test with flying colors.**

解答例

○ **Some people may argue that humor is unnecessary. However, it exists in every country and thus plays an important role in our daily lives. Even in tough situations, if we laugh, we can reduce stress and succeed more easily. When I was a high school senior, I set out to pass one of the most challenging college entrance exams in Japan. Sometimes I was so stressed out that I was about to give up. When that happened, I watched a funny 10-minute video of my favorite comedy duo, laughed a lot and reduced my stress. So, I got back my motivation to study and passed the entrance exam successfully. (109 words)**

◎ Some people may argue that humor is unnecessary. However, it exists in every country, thus playing an essential role in our daily lives. Even in tough situations, laughter makes it possible for us to reduce stress and succeed more easily. Back in my senior year of high school, I set out to pass one of the most challenging college entrance exams in Japan. Sometimes I was so stressed out that I was about to give in to the pressure. Whenever that happened, watching a funny 10-minute video of my favorite comedy duo helped me (to) laugh heartily and reduce my accumulated stress. As a result, I regained my motivation to study and passed the admissions test with flying colors. (119 words)

訳▶ ユーモアは不要だと主張する人もいるかもしれない。しかし、ユーモアはすべての国に存在し、それゆえ私たちの日常生活で不可欠な役割を果たしている。困難な状況でも、笑うことでストレスが軽減し、成功しやすくなる。高校3年生の頃、私は最も難しい大学入試の合格を目指して勉強を始めた。ストレスがたまり、プレッシャーに負けそうになることもあった。そんなときに、大好きなお笑いコンビの10分間の爆笑動画を見ると、心から笑ってストレスが軽減された。そのかいあって、勉強への意欲を取り戻し、見事に合格することができたのだ。

Some may ask whether humor really matters, but it must hold significant value in our lives since it exists all around us. Laughter, a precious gem polished by the hands of countless generations, navigates us through turbulent seas towards our desired shores. It acts as a key to unlock the floodgates of joy while at the same time keeping stress at bay. In the final stretch of my high school journey, I was getting ready to tackle one of Japan's toughest college entrance exams. With the pressure bearing down on me like a ton of bricks, I was ready to call it quits. In the middle of these difficult times, my go-to stress reliever and motivation booster was always an amusing 10-minute video of my favorite comedy pair. Laughing my heart out gave me the strength to nail the exam. (140 words)

★カジュアルな表現を多く含む言い換えです。

レベルアップ① ネイティブのアイデア

語注：gem 宝石／navigate~ 〜を切り抜ける／turbulent 荒れ狂う／desired 望ましい／unlock 〜の鍵を開ける／floodgates 水門／bear down on~ 〜に重くのしかかる／go-to 頼りになる／stress reliever ストレスを緩和するもの／motivation booster やる気を高めるもの／laugh one's heart out 爆笑する／nail 〜で成功する

訳：ユーモアが本当に大事なのかと疑問に思う人もいるかもしれないが、身の回りの至るところにあるだけに、私たちの生活においてそれは極めて価値があるものに違いない。笑いは、数え切れないほど多くの世代の手によって磨き上げられたかけがえのない宝石であり、私たちを荒波から希望の岸へと導いてくれる。歓喜の水門を開くと同時に、ストレスを抑える役割を果たしてくれるのだ。高校生活も終盤に差し掛かった頃、私は日本の難関大学入試に挑もうとしていた。重圧がレンガの山のように私にのしかかり、もうやめようと思ったりもした。そんな辛いときに、ストレスを解消し、やる気を高めてくれたのは、決まって大好きなお笑いコンビの愉快な10分動画だった。心の底から笑うことで力がみなぎり、試験で成功することができたのだ。

- matter は「重要だ」という意味の自動詞で、be important の言い換えです。Does it really matter? や It doesn't really matter. のように really を添えて疑問文や否定文で使うことが多いです。会話ではカジュアル・フォーマルどちらの場面でも使用しますが、フォーマルな文書で使うのは避けましょう。

- hold significant value in ~ は play an important role in ~ の言い換えです。

- all around us は everywhere のややカジュアルな言い換えです。

- countless は「数えきれないほど多くの」という意味で、many の類義語です。これを使うと many の多用が防げます。innumerable というさらにフォーマルな形容詞もあります。numer は number と語源が同じです。

- navigates us through turbulent seas towards our desired shores は「荒れ狂う海を抜け、希望の岸へと導いてくれる」という意味です。読者の興味を引きたい場合には、このようなメタファー（隠喩）を使うと効果的です。helping us overcome difficulties (to) reach our goals といった直接的な言い方をするよりもイメージが鮮やかに浮かび上がります。a key that unlocks the floodgates of joy（喜びの水門を開く鍵）も同様です。

- it is a key ではなく it acts as a key を使ったことに注目してください。act as ~ の直訳は「～として機能する」や「～の役割を果たす」ですが、ここでは《be ＋名詞》の代わりです。例えば、「図書館は、静かな場所で勉強したい学生の隠れ家になっている」なら、The library acts as a safe haven for students looking for a quiet place to study. になります。このような《S ＋ be 動詞＋名詞》を繰り返さない術も身につけておきましょう。

- while at the same time *doing* は「それと同時に〜する」という意味です。例えば「タケシは受験勉強とサッカー部のキャプテンを両立させた」であれば、Takeshi studied hard for entrance exams <u>while at the same time serving</u> as the captain of his soccer team. になります。at the same time を simultaneously にするとフォーマルさが増します。

- keep ~ at bay は「prevent~ from having an effect」の意味です。

- the final stretch は「活動や過程の最終段階」のことです。これを使うと、物事が終盤に差し掛かっているイメージを描写できます。例えば「私たちは今、交渉の最終段階にいる」なら、We are now in <u>the final stretch</u> of the negotiation process. になります。

- tackle は「問題や課題に対処するべく努力をする」という意味です。類義語に take on があり、例えば「私たちのリーダーは気候変動に取り組むためにもっと多くのことをしなければならない」なら、Our leaders must do more to tackle climate change. にできます。類義語の cope with や deal with、さらにフォーマルな、他動詞 address も合わせて覚えておくと便利です。

- 《like ＋名詞》や《as 主語＋動詞》のような直喩を使って、五感に訴えるような表現にしてみましょう。I was under a lot of pressure. ではなく、The pressure was bearing down on me like a ton of bricks. と表現する方が、とてつもないプレッシャーを感じた経験を生き生きと描写することができます。bear down on ~ は「〜に重くのしかかる」という意味です。ここでは付帯状況の with を使って、With the pressure <u>bearing down on</u> me like a ton of bricks になっています。

- call it quits は「何かを頑張るのをやめる」という意味で、口語表現としてよく用いられます。状況が厳しすぎたり、満足のいく結

果にならなかったりして、これ以上努力しても意味がないと思う
ような場面で使います。「こんなプロジェクトなんてもうやって
いられない。ギブアップしそうだ」なら、I can't keep on going
with this project, and I'm on the verge of calling it quits. にでき
ます。「もう10時間ぶっ通しで働いたから、今日はこれで終わりに
して、また明日にしよう」なら We've worked for 10 hours straight,
so let's call it quits for today and come back at it tomorrow. に
なります。

- in the middle of ~ は「〜の真っただ中」という意味の慣用句で、
  比較的カジュアルな場面でよく使われます。in the midst of にす
  るとフォーマルな響きになります。「わが国は医療危機の真った
  だ中にある」なら、Our country is in the middle [in the midst]
  of a health care crisis. になります。

- Humor can relieve stress and boost motivation. を言い換えると、
  Humor can be a stress reliever and motivation booster. になり
  ます。He teaches English. のように teach という動詞を使った文
  を He is an English teacher. のように teacher という名詞を使っ
  た文に書き換えるのとるのと同じ発想です。

- go-to は「頼りになる」という意味の口語的な形容詞で、reliable
  の類義語です。

- amusing は「人を笑顔にさせたり、声を出して笑わせたりする
  ような面白さ」のことです。

- A give B the strength to *do*. の直訳は、「A は B に〜する力を与える」
  になりますが、ここでは A make it possible for B to *do*. の言い換
  えです。例えば「師匠から励ましの言葉をもらったおかげでこの
  本を書き終えることができた」は、Encouraging words from my
  mentor made it possible for me to write up this book. になります。

さらに書き換えると Encouraging words from my mentor <u>gave me the strength to write up</u> this book. です。

- nail は「（何かを）見事にやってのける」という意味の口語表現です。例えば「ハナがトランペットを初めて吹いてみたら、本当にうまくできた」なら、Giving the trumpet a go for the first time, Hana absolutely <u>nailed</u> it. になります。give ~ a go は「〜を試しにやってみる」という意味の口語表現で、try *doing* の類義表現です。

レベルアップ② フォーマルな表現

Despite its frivolous appearance, humor's omnipresence suggests that it plays a crucial role in human life. Laughter, a universal human trait that has survived generations of natural selection, can guide us through rough waters towards our destinations; it can trigger the release of happy hormones while reducing stress levels. As a high school senior, I embarked upon preparations for one of Japan's demanding college entrance exams, with the overwhelming pressure sometimes bringing me to the brink of surrender. During these trying times, a humorous 10-minute video featuring my favorite comedy duo never failed to provide me with much-needed hearty laughter and stress relief. It was these occasional bursts of laughter that motivated me anew, contributing to my resounding success in the admissions test. (123 words)

- 「それ（ユーモア）は取るに足らないもののように思えるが」を直訳すると、Although it appears to be frivolousになります。これをdespiteという前置詞を使って言い換えると、Despite its apparently frivolous natureや、Despite its frivolous appearanceになります。ここでのfrivolousはunimportantの類義語です。

- *one*'s omnipresenceやthe omnipresence of ~で「～が至る所にあること」という意味の名詞のかたまりが作れます。例えば「監視カメラが至る所に設置されるようになったことで、プライバシーに対する懸念が高まっている」なら、The omnipresence of surveillance cameras has raised concerns about privacy. になります。

- 「示唆する」という意味のsuggestを使って《... suggest that 主語(S)＋動詞(V)》にすると、「…から～が―することがうかがえる」という意味になります。例えば「彼女は長い間黙っていたので、考え込んでいたのだろう」ならHer long silence suggested that she was deep in thought. になります。

- Laughterの後ろに同格のコンマを使って、a universal human trait that has survived generations of natural selection（何世代にもわたって自然淘汰されることなく残り続けてきた普遍的な人間の特性）という情報を足すことで、笑いが重要な理由を述べています。

- A guide B through C. は、A help B (to) deal with C. という意味です。例えば、「共著者の貴重なフィードバックのおかげで、私は多くの困難を乗り越えることができた」なら、Invaluable feedback from my coauthor guided me through numerous obstacles. となり、guided以下をhelpを使って書き換えると、helped me (to) deal with numerous obstacles. になります。

- it can trigger the release of happy hormones while reducing stress levels. は前の文の理由です。このように《; SV》は、《and SV》、《but SV》、《so SV》、《because SV》などの《接続詞＋SV》の代わりになれます。

- As a high school senior はWhen I was a high school senior の言い換えです。a high school senior = Iのように、Asの後ろの名詞と、後ろの節の主語がイコールになるように使います。

- embark on [upon]は「難しいことや新しいことを始める」の意味です。

- with the overwhelming pressure sometimes bringing me to the brink of surrender は《with 目的語(O)＋補語(C)》の形になっています。pressureがO、bringingがCです。and the overwhelming pressure sometimes brought me to the brink of surrender. のような、《and SV》の書き換えになっています。

- 「AをBに至らせる」という意味のbring A to Bが、《make OC》に似た役割を果たしていることがあります。例えば「監督の斬新な戦術のおかげで、その弱小チームはワールドカップ本戦に駒を進めることができた」はmakeを使って、The manager's innovative tactics made it possible for the underdog team to advance to the World Cup finals. にできます。さらにbring A to Bを使って書き換えると、The manager's innovative tactics brought the underdog team to the World Cup finals. になります。bringing me to the brink of surrenderもこれと同じ発想です。

- 「苦しいとき」というと、difficult times, hard times, tough timesという英語が思い浮かぶかもしれませんが、ここではtrying timesを使いました。tryingは「いろいろ試される」→「つらい」、「苦しい」という意味の形容詞です。

- never fail to do はalways do の言い換えです。「〜しないことは決してない」→「必ず〜する」という意味になります。

- much-neededはcrucialやessentialの類義語で、待ち望んでいた必要不可欠なものが実現したときに使います。long-awaitedも一緒に覚えておきましょう。

- 「AのおかげでBはCを得られる」は、enableを使って表せます。例えば「日本の資金的技術的援助のおかげで、その東南アジアの国は待望の地下鉄網を建設することができた」なら、Japan's financial and technical assistance enabled the Southeast Asian country to build a much-needed underground train system. になります。さらにenabled以下をA give B CやA provide B with Cを使って書き換えることも可能で、後者を使うと、provided the country with a long-awaited underground train system. になります。

- 同じ主語を使った《SV, so SV》の繰り返しを避ける方法の1つが、2つ目の《SV》のSを《This＋名詞》や《These＋名詞》にしてみることです。使う名詞は、1つ目のSVの内容を簡潔にまとめたものです。例えば「ヨーロッパに長期滞在していたとき人種差別を受けた」を英語にすると、During my extended stay in Europe, I encountered racial discrimination. になります。これに「だから日本を訪れる人には親切にしたいと思ってきた」という内容を続けると、This painful experience has inspired me to be kind to visitors to Japan. にできます。This painful experience や These occasional bursts of laughter のように、This や These で始まる名詞のかたまりを主語にしている文は、前の文の原因や結果を述べていることが多いです。

- It was these occasional bursts of laughter that motivated me anew. という分裂文（強調構文）を使って、these occasional bursts of laughter という「まさにこのように爆笑したおかげで」という部分を際立たせています。

- 「〜に貢献する」という意味で覚えることの多い contribute to ~ は、《help OC》の言い換えに使えます。「そうやって時々爆笑したおかげで私はその入試で成功できた」なら、These occasional bursts of laughter helped me (to) succeed in the admissions test. になります。さらに contribute を使って言い換えたのが、These occasional burst of laughter contributed to my success in the admissions test. です。contribute to の to は前置詞なので、後ろには動詞の原形ではなく、名詞が続きます。

以下の主張に反対するエッセイを、1〜4の構成を用いて100〜120ワードで書いてみましょう。

AI translation is useless.

AI翻訳は役に立たない。

1 譲歩

AI翻訳はまだ完璧ではない。

≫

2 逆接・理由

しかし、AI翻訳は役立つ。それを使えば、大金をかけずに言葉の壁を越えられるからだ。

≫

3 具体化

この先端技術は世界中の何百万もの人々、特に外国語が苦手な日本の経営者に恩恵をもたらしている。

≫

さらに具体化

私の父は兵庫で革職人をしている。腕がよく、財布やハンドバッグなどの見事な革製品を作っている。英語力も資金もなく、最初は外国の人に自分の製品を売れなかった。しかしChatGPTのおかげで数カ国語のウェブサイトを作り、ネット販売の売り上げを3倍にすることができたのだ。

1 譲 歩

最近、AI翻訳は完璧ではないが、

よくあるミス

❌ **Recently, despite it isn't perfect,**

先生

- recently は「ついこの間」という意味で、現在形と一緒に使えません。現在形で使うのは、「以前とは違って今は」という意味の today, these days, nowadays です。
- despite は前置詞なので、後ろに主語と動詞は置けません。接続詞の although を使い、although it isn't perfect にします。
- フォーマルなライティングでは短縮形を使わずに it is not perfect のようにします。not perfect を imperfect という形容詞1語にすると、さらにフォーマルになります。

⭕ **Today, although it is imperfect,**

ステップアップ

- 「欠点」という意味の imperfection を複数形 imperfections にすると、「具体的な複数の欠点」という意味になります。それを使って「それには複数の欠点がある」を英訳すると It has imperfections. になります。さらにそれを its imperfections という名詞のかたまりにすると、前置詞 despite の目的語にできます。

◎ **Today, despite its imperfections,**

② 逆接・理由

しかし、AI翻訳は役立つ。それを使えば、大金をかけずに言葉の壁を越えられるからだ。

> よくあるミス

✗ **AI translation help people overcome language barrier cheaply.**

先生

> • If we use AI translation, we can overcome ... の代わりにAI translationという無生物主語で始めたのはよいところです。しかしそれに合わせて動詞はhelpsにする必要があります。三単現のsの付け忘れを防ぐには、can helpのように助動詞を付けると方法もあります。ただし意味は変わってくるのでよく確認しましょう。
> • 「いろいろな言葉の壁」と考えて、barrierをbarriersにします。barrierは可算名詞です。

○ **AI translation can help people (to) overcome language barriers cheaply.**

ステップアップ

- Peopleの多用を防ぐ方法を考えてみましょう。help people (to) overcomeの場合には、peopleを取ってhelp (to) overcomeだけでも一般論を表せます。

- cost-effectiveは「費用対効果が高い」、つまり「コスパがよい」という意味の形容詞で、「ビジネスの効果的なAIの使用」という文脈にぴったりです。ここでは動詞overcomeを修飾しているので、副詞のcost-effectivelyにします。

◎ **AI translation can help (to) overcome language barriers cost-effectively.**

③ 具体化

すでにこの先端技術は世界中の何百万もの人々、特に外国語が苦手な
日本の経営者に恩恵をもたらしている。

> **よくあるミス**
>
> ✕ This advanced technology has already given a
> positive effect to many people all over the world.
> Especially, it is useful for Japanese business owners
> who do not have basic foreign language skills.

先生

- 日本語の「影響を与える」につられて、given a positive effect to にせずに、had a positive effect on にします。「受けた影響は付いて回ってくるので接触の on を使って表す」と覚えておきましょう。ここでの positive は beneficial に書き換えられます。
- Especially, 主語＋動詞. の形は間違いです。ここでは前節の最後の名詞に直接付けて、many people all over the world, especially Japanese business owners にします。名詞の後ろで典型例を挙げるには、especially が including に似た前置詞的な役割を果たしていると考えましょう。

○ This advanced technology has already had a
beneficial effect on many people all over the world,
especially Japanese business owners who do not
have basic foreign language skills.

ステップアップ

- beneficial は benefit の派生語です。名詞の「利益」として覚えることの多い benefit ですが、「〜に利益を与える」という意味の他動詞として使えます。したがって have a beneficial effect on ~ は benefit ~ にできます。

- many と people の使いすぎに注意しましょう。すでに AI 利用者

は数億人いるので、manyはhundreds of millionsと具体的な数字を挙げ、peopleももう少し具体的なusersにできます。

- especiallyで典型例を挙げたら、理由を添える必要があります。ですが、ここではwhoで始める関係代名詞節がそれに似た役割を果たしています。

- all over the worldはworldwideの1語にもできます。

- who do not haveをwho lackにして、who lack basic foreign language skillsとも表せます。

This advanced technology has already benefited hundreds of millions of users worldwide, especially Japanese business owners who lack basic foreign language skills.

4 さらに具体化

私の父は兵庫で革職人をしている。腕がよく、財布やハンドバッグなどの見事な革製品を作っている。

> **よくあるミス**

For example, my father is skilled leather craftsman in Hyogo where makes great things like wallet and handbag.

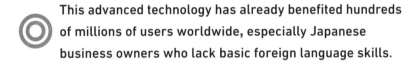

先生

- craftsmanは可算名詞です。不定冠詞のaを忘れないでください。
- Hyogo where makes ~ をHyogo, where he makes ~ にします。固有名詞を先行詞にする関係詞の前にはコンマが必要です。またwhereは関係副詞なので、後ろにはいわゆる完全文がきます。
- 可算名詞のwalletとhandbagをwalletsとhandbagsという複数形にするのを忘れないようにしましょう。
- make, great, thingsという3つの単語の使いすぎを避けるため、

> 名詞とのコロケーションを意識して他の動詞や形容詞を使ってみましょう。ここでは produces high-quality items にもできます。

○ **For example, my father is a skilled leather craftsman in Hyogo, where he produces high-quality items like wallets and handbags.**

ステップアップ

- My father is a skilled leather craftsman in Hyogo. という《主語(S)＋be動詞(V) + 名詞(C)》 は My father, a skilled leather craftsman in Hyogo という名詞のかたまりにできます。カンマがイコールの印になっているのです。be動詞を繰り返さない工夫の1つとして覚えておきましょう。

- My father, a skilled leather craftsman in Hyogo という主語の後ろに、produces high-quality items like wallets and handbags という動詞と目的語を続けます。

◎ **For example, my father, a skilled leather craftsman in Hyogo, produces high-quality items like wallets and handbags.**

英語力も資金もなく、最初は外国の人に自分の製品を売れなかった。

✗ His English was limited, and he did not have much money, so for the first time, he was difficult to sell own goods to foreign country people.

先生

- for the first time は「初めて」という意味の副詞のかたまりです。例えば「ヒデは初めてカナダに行った」なら Hide went to Canada for the first time. になります。しかし、ここで表したいのは「最初のうちは」なので、at first、もしくはそれよりもフォーマルな initially を使います。
- 「簡単だ」や「難しい」という内容は、It is easy for ~ to *do*. や It is difficult for ~ to *do*. で表します。ここでは It was difficult for my father to sell ... になります。
- own を「自分の」と覚えているために、例えば「自分の車」を own car と英訳してしまう人がいますが、これは間違いです。my own car のように必ず所有格とセットで使います。ここでの「自分の」は「手作りの」という意味なので、his own goods よりも his handmade goods の方がニュアンスが伝わります。
- 「外国の人」を「外国＋人」と考えて、foreign country people にすのは間違いです。foreign は「外国の」という意味の形容詞。foreign people にすれば文法的に正しくはなります。foreigners という1語にすることもできますが、どちらも疎外感があるので、people in other countries などにした方が安全です。

⭕ His English was limited, and he did not have much money, so it was at first difficult for him to sell his handmade leather goods to people in other countries.

ステップアップ

- His English was limited. という《主語＋be動詞＋形容詞》は、His limited English という名詞のかたまりにできます。これも be動詞を繰り返さないための工夫の1つです。他にも My father is monolingual. なら My monolingual father、Our math teacher is strict. なら Our strict math teacher という名詞のかたまりにできます。

- not have much money は lack of money という名詞のかたまりにできます。他にも「彼にはあまり忍耐力がない」という意味の He does not have much patience なら、his lack of patience にできます。

- この His limited English and lack of money という名詞のかたまりを主語にして続きを書きます。money は「資金」という意味の funds にしてみましょう。「A のせいで B は〜するのが難しい」という内容は A make it hard [difficult] for B to do. で表せますが、過去の内容の場合には make を made にするのを忘れないでください。

- foreign や foreigner には排他的なニュアンスがあります。そのため、例えば外国人留学生を foreigners や foreign students と呼ぶよりも、international students や overseas students と呼ぶ方が丁寧です。同様に外国の顧客のことも、overseas customers にしましょう。

◎ **His limited English and lack of funds initially made it difficult for him to sell his handmade goods to overseas customers.**

しかし ChatGPT のおかげで数カ国語のウェブサイトを作り、ネット販売の売り上げを3倍にすることができたのだ。

よくあるミス

But thanks to ChatGPT, he could create a website in some language to get order from foreigners and increase his online sales to three times.

先生

- but で文を始める《But 主語（S）＋動詞（V）》は間違いとされることがありますが、ジャーナリズムや文学でも正しい用法として定着しています。この例のように but の後ろに節が長い場合、《SV. But SV》のパターンは特によく見られます。
- 「（頑張って）1回できた」という内容は could *do* にできないので、was able to create や managed to create にしましょう。successfully *did* にする方法もあります。
- some language を some languages にします。英語、フランス語、スペイン語のような具体的な言語は可算名詞です。ここでは some の代わりに several を使ってみましょう。some が漠然とした数を表すのに対して、several は3から6くらいの比較的具体的な数を表します。そのため日本語の「いくつか」を表すには、several の方が適切なことも多いです。
- get の繰り返しを避けるために、orders という名詞とのコロケーションを意識し、receive のような他の動詞を使ってみましょう。さらに orders from foreigners は international orders にできます。
- to three times を by three times にします。to は「到達点」、by は「差」を表します。例えば「わが社の利益は20％増加し、100億円になった」であれば、Our profit increased by 20 percent to 10 billion yen. になります。この by はよく省略されます。

○ **But thanks to ChatGPT, he successfully created a website in several languages to receive international orders and increased his online sales by three times.**

ステップアップ

- Thanks to ~ の目的語を文の主語にしたり、The advent of ~ や The development of ~ のようなかたまりを主語にしてみましょう。その際、固有名詞の後ろに同格のコンマを打って、ChatGPT, a free and powerful chatbot のような説明を加えると効果的です。「自分の書いていることについて何も知らない人がいるはずだ」という気持ちで書くことを心がけましょう。

- advent は arrival, development, emergence の類義語です。the

advent of ~で「〜が出現したこと」という意味の名詞のかたまりが作れます。「オンラインショッピングの登場で、撤退を余儀なくされた中小企業の経営者は数知れない」であれば、The advent of e-commerce platforms has forced countless small business owners to shutter their establishments for good. になります。shutter は「閉じる」、establishmentsは「会社」や「商店」、for goodは「永遠に」という意味になります。

- A made it possible for B to *do*. や、A enabled B to *do*. で「AのおかげでBは〜できた」という内容を表現できます。その際に動詞を過去形にするのを忘れないでください。

- website to receive international orders を website for international orders にするとさらに英文が引き締まります。

- 「(売上などを) 3倍にする」はtriple という他動詞1語で表現できます。「2倍にする」ならdouble、「4倍にする」ならquadruple になります。「半減させる」ならhalve です。

- and tripled を tripling という結果を表す分詞構文にしてみましょう。

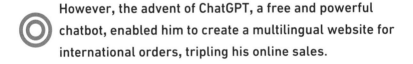

However, the advent of ChatGPT, a free and powerful chatbot, enabled him to create a multilingual website for international orders, tripling his online sales.

解答例

Today, although it is imperfect, AI translation can help people (to) overcome language barriers cheaply. It has already had a beneficial effect on many people all over the world, especially Japanese business owners who do not have basic foreign language skills. For example,

my father is a skilled leather craftsman in Hyogo, where he produces high-quality items like wallets and handbags. His English was limited, and he did not have much money, so it was at first difficult for him to sell his handmade leather goods to people in other countries. But thanks to ChatGPT, he successfully created a website in several languages to receive international orders and increased his online sales by three times. (115 words)

◎ Today, despite its imperfections, AI translation can help (to) overcome language barriers cost-effectively. This advanced technology has already benefited hundreds of millions of users worldwide, especially Japanese business owners who lack basic foreign language skills. For example, my father, a skilled leather craftsman in Hyogo, produces high-quality items like wallets and handbags. His limited English and lack of funds initially made it difficult for him to sell his handmade goods to overseas customers. However, the advent of ChatGPT, a free and powerful chatbot, enabled him to create a multilingual website for international orders, tripling his online sales. (97 words)

今日AI翻訳は、不完全ながらも、言語の壁を低コストで克服するのに役立つ。この先進技術は、すでに世界中の多くの人々、特に基礎的な外国語能力のない数多くの日本の経営者に恩恵をもたらしている。例えば、私の父は兵庫の熟練した革職人で、財布やハンドバッグのような高品質な製品を作っている。彼は英語ができず、資金もなかったため、最初は自分の製品を海外の顧客に販売できなかった。しかし、ChatGPTという無料で使える強力なチャットボットが登場し、海外からの注文に対応した多言語サイトを作成し、オンライン売上を3倍に伸ばせたのだ。

レベルアップ① ネイティブのアイデア

★カジュアルな表現を多く含む言い換えです。

Although concerns about the credibility of AI-powered machine translation linger in some people's minds, it can work wonders in bridging the language gap without breaking the bank. This groundbreaking technology has guided hundreds of millions of users across the globe, including countless business owners in Japan on their quest for international expansion. My father, a skilled Hyogo-based leather craftsman, attempted to tap into foreign markets. Unfortunately, his limited financial resources and lack of foreign language proficiency served as roadblocks to his original plans. But with the arrival of a free online tool called ChatGPT, a state-of-the-art AI technology, he has gained the ability to develop a website that supports multiple languages and serves customers from every corner of the earth, tripling his online sales. (124 words)

concern about ~ ～についての懸念／credibility 信頼性／linger in one's mind ～の心にずっと留まる／bridge ～を埋める／groundbreaking 画期的な／across the globe 世界中の／quest for ~ ～の探求／craftsman 職人／tap into ~ ～に参入する／proficiency 流暢さ／roadblock 障害／state-of-the-art 最新の／multiple 多数の／triple 3倍にする

> 訳 ▶ AI機械翻訳の信頼性に対する懸念が一部の人々の頭から離れないが、大金をかけずに言語のギャップを埋める上で驚異的な効果を発揮してくれる。この画期的なテクノロジーは、国際的な事業の拡大を目指す無数の日本の企業経営者を含め、世界中の何億人ものユーザーの力になってきた。私の父は兵庫の腕利きの革職人で、海外市場に進出しようとした。残念ながら資金も限られ、外国語の能力も足りなかったため、父は当初の計画を実現できなかった。しかし、ChatGPTという最先端のAI技術を駆使した無料オンライン・ツールが登場したことで、多言語に対応したウェブサイトを制作し、世界中の顧客にサービスを提供することで、オンラインでの売り上げを3倍に伸ばすことができたのだ。

- linger は「（何かが）なかなか消えずに残る」という意味の自動詞です。「A に関する懸念が B の頭から離れない」という意味で、Concerns about A linger in *B*'s mind. というかたまりで覚えておくと便利です。例えば「記録的な夏の猛暑に耐える中、地球温暖化への懸念が私の脳裏から離れない」であれば、Concerns about global warming linger in my mind as we endure record-breaking summer heat. になります。

- work wonders in *do*ing は「～するのに驚くほどよく効く」という意味のイディオムです。「この画期的なクリームはあなたの乾燥肌に驚くほど効果を発揮するだろう」であれば、This game-changing cream will work wonders in treating your dry skin. になります。また、work wonders for ~ にすると have a positive effect on ~ の言い換えになります。has a positive effect on your dry skin を work wonders for your dry skin にできるということです。

- bridge the gap (between A and B) で「（A と B の）差を埋める」という意味です。例えば「この政策は貧富の差を埋めることを狙っている」であれば、This policy aims to bridge the gap between rich and poor. になります。

- not break the bank は「銀行をつぶさない」→「大した額にはならない」という意味のやや口語的なイディオムです。「このキッチ

ンをリフォームしてもらっても、大した額にはならないだろう」であれば、It will <u>not break the bank</u> to get this kitchen renovated. になります。この表現を使った Without breaking the bank は「大金を使わずに」という意味です。

- game-changing の類義語の groundbreaking は、new の意味を強めた1語の形容詞です。例えば「市は水質汚染問題に対処する新しい法律を導入した」なら、The city introduced a new law to address the issue of water pollution. になりますが、a <u>new</u> law を a <u>groundbreaking</u> law にすることで、ただ新しいだけではなく「現状を大きく変えることになる」というニュアンスが加わります。revolutionary や innovative がフォーマルな類義語です。

- across the globe は all over the world の類義語です。

- 使いすぎる傾向のある money の代わりに、「資金源」という意味の financial resources を使うと、フォーマルなライティングで印象がよくなります。

- roadblocks はここでは比喩的に「障害になるもの」という意味です。A serve as a roadblock to B's 名詞で、「AのせいでBは〜しにくい」、つまり A make it difficult for B to do. の言い換えということになります。例えば、「ガラスの天井（目に見えない壁）のせいで、女性が昇進するのは難しい」なら、The glass ceiling makes it difficult for women to get promoted. を The glass ceiling <u>serves as a roadblock to women's promotion</u>. に書き換えられます。

- on a quest for ~ や on *one*'s quest for ~ は、trying to achieve ~ や trying to find ~ の言い換えで、「〜を追求している」の意味です。例えば、「タケヒロは知識欲が旺盛で、いろんなテーマの本を読み漁っている」なら、Takehiro, <u>on his quest for</u> knowledge, devours books on a wide range of subjects. になります。

- tap into ~ はここでは「~に入り込む」という意味で、enter や gain access to ~ の類義語です。tap into phones（電話の盗聴をする）のようなネガティブな意味で使うこともあれば、tap into an overseas market（海外市場に進出する）のようにポジティブな意味で使うこともあります。また「入り込む」から「利用する」という意味が生まれ、例えば tap into his legal expertise で、「彼の法律の知識を活用する」という意味になります。この意味では utilize の類義語です。

- the arrival of ~ は「~の登場」や「~が開発されたこと」という意味の名詞のかたまりです。例えば「自動運転車が登場したことで、交通事故死者数が減少した」なら、<u>The arrival of</u> autonomous vehicles has reduced road fatalities. になります。birth や advent や emergence が類義語です。

- ハイフンでつないで1つにまとめた state-of-the-art は、「最先端の」という意味の形容詞です。new の意味を強めた advanced や sophisticated の類義語として覚えておきましょう。

- gain the ability to *do* の直訳は「~する能力を得る」で、become able to *do*（~できるようになる）の言い換えです。例えば、「科学者たちは革新的な研究によって、個々の原子を操れるようになった」は、Scientists, through groundbreaking research, <u>have gained the ability to manipulate</u> individual atoms. になります。

レベルアップ② フォーマルな表現

AI-powered machine translation, for all its reliability concerns, can be a potent tool for cost-effective solutions to language barriers. In fact, this revolutionary technology has helped hundreds of millions of users worldwide, including

scores of Japanese business owners aiming to expand overseas. A case in point is my father, a skilled but once-struggling leather craftsman in Hyogo. A dearth of language skills and financial resources initially hampered his attempt to reach potential international customers with meticulously crafted leather items, such as wallets and handbags. However, the advent of a sophisticated chatbot named ChatGPT, available free of charge online, served as the driving force behind his successful creation of a multilingual website for international orders. This technological marvel played an instrumental role in tripling his online sales. (126 words)

訳

AI機械翻訳は、信頼性に関して懸念はあるが、言語の障壁を低コストで解決する強力なツールとなり得る。実際に、この革新的なテクノロジーは、世界中の何億ものユーザーを支援しており、その中には海外進出を狙う日本の数多くの企業経営者も含まれている。私の父は兵庫の革職人で、腕は確かだが、かつては苦境に立たされていた。語学力が限られていて資金力も乏しかったため、当初は丹精込めて作った財布やハンドバッグのような革製品を海外の潜在顧客に売り込むことができなかった。しかし、オンラインで無料で利用できるChatGPTという洗練されたチャットボットが登場したことが、海外からの注文に対応した多言語ウェブサイトの作成に成功する原動力となってくれた。この驚くべき技術のおかげで、ネットでの売上が3倍となったのである。

● ここでの for all ~ は despite ~ の類義語で、「〜にもかかわらず」という意味の前置詞です。例えば「私たちは総力を挙げて選挙への関心を高めようとしたが、それでも投票率はがっかりするほど低かった」であれば、We worked tirelessly to spark interest in the elections, but <u>for all our efforts</u>, the voter turnout was still disappointingly low. になります。

- 《主語(S)＋動詞(V). In fact, 主語(S)＋動詞(V)》では、1つ目の SVの内容を2つ目のSVで強調できます。例えば「その方法では ライティング力は上がらない。かえって上達の妨げにさえなるか もしれない」なら、That method will not help you (to) improve your writing skills. <u>In fact</u>, it might even hinder your progress. になります。「助けにはならない」→「かえって邪魔になる」と いう流れで主張を強めています。

- scores of は a lot of の類義語です。

- a case in point は a good example の類義語です。

- 副詞のonceを使うことで、「かつて〜だった（が今は違う）」とい う内容を used to be を使わずに簡潔に表現できます。例えば「私の 故郷はかつて牧歌的な魅力で知られていたが、今では工業地帯へ と姿を変えた。」なら、My hometown, <u>once</u> known for its pastoral charm, has now transformed into an industrial hub. になります。

- dearth という名詞は lack のフォーマルな類義語です。「この地域 には本格的な和食料理店が少ないため、サワダは寿司好きにはぜ ひ訪れてほしい店だ」であれば、There is <u>a dearth of</u> authentic Japanese restaurants in this area, making Sawada a must-visit for sushi lovers. になります。

- A hamper *B*'s attempt to *do*. の直訳は「AはBが〜しようとする のを邪魔した」になりますが、A make it difficult for B to *do*. の 言い換えです。例えば「ショウヘイは体が大きいので、空港でど うしても目立ってしまった」なら、Shohei's towering physique made it difficult for him to keep a low profile at the airport. にな

り、さらにShohei's towering physique <u>hampered his attempt to</u> keep a low profile at the airport. に書き換えられます。ここでのhamperはcomplicate（複雑にする）にもできます。keep a low profileは「目立たずにいる」という意味です。

- 「原動力」という意味のdriving forceを使ったA serve as the driving force behind *B*'s ~. は、A helped B (to) *do* ~. の言い換えです。例えば「地域社会の支援とボランティア活動のおかげで、旧市街は活気を取り戻した」なら、Community support and volunteerism <u>helped them (to) revitalize</u> the old downtown area. でもOKですが、さらにCommunity support and volunteerism <u>served as the driving force behind their revitalization</u> of the old downtown area. にもできます。

- a marvelは「（いい意味での）驚くべき人や物」という意味の可算名詞です。類義語にa wonderがあります。

- play an important role in ~のimportantの代わりに「役立つ」や「助けになる」という意味の形容詞instrumentalという形容詞を使っています。A help B (to) *do*. の言い換えです。例えば「健康的な食事をし、定期的に運動することで、全般的な健康を維持できる」という内容なら、Healthy eating and regular exercise can <u>help us (to) maintain</u> overall well-being. から、Healthy eating and regular exercise can <u>play an instrumental role in maintaining</u> overall well-being. にできます。

以下の主張に反対するエッセイを、1〜4の構成を用いて120〜140ワードで書いてみましょう。

Recent trends toward greater diversity have made us feel more confident about our looks.

多様性を追求する最近の傾向で、私たちの外見への自信は高まった。

1 譲歩・逆接

21世紀に入り、ルッキズム〔※容姿の美醜を重視して人を評価する考え方〕について語る人が増えている。広告やメディアはより多様な美の形を受け入れてはいるが、一般人にとってルッキズムの問題は悪化している。

2 理由

これは写真編集アプリを使って、写真うつりを変えられるせいでもある。SNSにこうした加工写真がアップされると、自分も同じような容姿でなければならないと考えるようになり、問題は深刻化している。

典型例

この問題はティーンエイジャーに特に大きな影響を与える。ティーンエイジャーはまだ自分が何者なのか知るようになってきているところで、友人やSNSからの同調圧力（peer pressure）の影響も大きいからだ。

まとめ

自己表現に役立つはずのテクノロジーのせいで、多くの人が自分の見た目に自信を持ちにくくなっているのは皮肉なことだ。

① 譲 歩 ・ 逆 接

21世紀に入りルッキズムについて語る人が増えている。広告やメディアは多様な美の形を受け入れてはいるが、一般人にとってルッキズムの問題は悪化している。

よくあるミス

✕ In 21st century, the number of people who are discussing about the lookism are increasing.

先生

- 21st century を the 21st century にします。序数の前には原則として定冠詞が必要です。
- discuss は他動詞なので about は不要です。
- lookism のような不可算名詞の一般論は無冠詞で述べるため、the lookism を lookism にします。
- the number of people のように《the number of ＋複数名詞》が主語の場合、「〜の数」という意味となり、動詞の形は number に合わせます。したがって、are increasing を is increasing に変えます。

⭕ In the 21st century, the number of people who are discussing lookism is increasing.

ステップアップ

- 「〜が増えている」という内容は、名詞に more を付けるだけで表せます。「ルッキズムについて語る人が増えている」という内容なら、More people are discussing lookism. というシンプルな英文で表せるのです。

◎ In the 21st century, more people are discussing lookism.

広告やメディアはより多様な美の形を受け入れてはいるが、一般人にとってルッキズムの問題は悪化している。

よくあるミス

✗ Despite ads and media accept more diverse form of beauty now, lookism is getting worse for normal people.

先生

- Despite は前置詞なので、後ろに主語と動詞は続けられません。Although に直します。
- form は可算名詞です。diverse に「多様な」という意味があることからも、diverse forms という形で複数形にする必要があるとわかります。
- normal の対義語は abnormal なので、normal people と書いてしまうと、「自分の基準から見て異常がない人」という意味だと捉えられかねません。そのためここでは ordinary や regular を使って、ordinary people や regular people にします。

○ Although ads and media accept more diverse forms of beauty now, lookism is getting worse for regular people.

ステップアップ

- although の代わりに接続詞 while が使えます。

- ads の代わりに advertisements を使ってみましょう。原則として media and advertisements のように、長いものを後ろに置いた方が文の流れがよくなります。

- accept の代わりに embrace を使ってみましょう。元々は hug のフォーマルな類義語で「抱擁する」という意味ですが、そこから転じて「熱心に受け入れる」という意味になります。

- lookism を繰り返さずに、discrimination based on looks など他の言い方を工夫してみましょう。looks-based discrimination という言い方もできます。getting worse は are worsening に書き換えられます。get に頼りすぎないようにしましょう。

- regular people は the general public とも言い換えられます。定冠詞の the を忘れないでください。

◎ While media and advertisements embrace more diverse forms of beauty now, looks-based discrimination is worsening for the general public.

② 理由

これは、写真編集アプリを使って写真うつりを変えられるせいでもある。

よくあるミス

✕ This is because when we access to photo-editing app, we can change our looks in pictures easily.

先生

- 「画像編集のアプリ」は複数ある理由の1つとして挙げられているため、because を partly because に変えます。これによって「〜のせいでもある」、の「も」のニュアンスが出ます
- access to の to を取ります。access は他動詞なので前置詞は不要です。また app は可算名詞、一般論なので複数形にします。

○ This is partly because we can access photo-editing apps and change our looks in photos easily.

ステップアップ

- 《because 主語＋動詞》の他の言い方も覚えておきましょう。例えば《due to ＋名詞》を使って、photo-editing apps that allow users to change their looks in pictures のように apps を関係代名詞節で修飾した名詞のかたまりに書き換えられます。

- the prevalence of ~ で「〜が世の中に広まっていること」という

216

意味の名詞のかたまりが作れます。既出のthe spread ofをさらにフォーマルにしたものです。the prevalence of photo-editing appsなら「画像編集アプリの蔓延」というニュアンスを出せます。

 This is partly due to the prevalence of photo-editing apps that allow users to change their looks in pictures easily.

SNSにこうした加工写真がアップされると、自分も同じような容姿でなければならないと考えるようになり、問題は深刻化している。

よくあるミス

 When these altered picture spread in SNS, almost people are tend to believe that they must look like them, so problem gets worse.

- these picture を these picturesにします。theseやthoseの後ろの名詞は常に可算名詞の複数形です。これをaltered（部分的に修正した）という意味の過去分詞で修飾することで、意味を明確にします。
- 英語では単語としてはSNSよりも"social media (platforms)"の方が一般的です。一緒に使う前置詞はon（on the internetと同様）になります。
- 文法的にはalmost peopleをalmost all peopleやalmost every people、あるいはmost peopleになりますが、ここで「ほとんどの人」と言ってしまうと言い過ぎなので、many (people)とする方が反論されにくくなります。
- tendは一般動詞なので、直前にbe動詞は不要です。
- problem を the problemにします。ルッキズムという問題のことを述べていることが文脈からわかるからです。

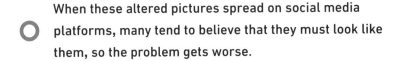 When these altered pictures spread on social media platforms, many tend to believe that they must look like them, so the problem gets worse.

- these pictures spread on social media platforms は the spread of these pictures on social media platforms にもできます。the spread of ~ で「～が広まること／広まったこと」という意味の名詞のかたまりになります。The spread of を取って、These pictures をそのまま主語にする方法もあります。pictures は既出なので、images に書き換えます。

- 後ろに《make 目的語(O)＋補語(C)》を続けると、tends to <u>make</u> many <u>believe</u> that they must look like them ... になります。make many believe を、cause を使って <u>cause</u> many <u>to believe</u> にすることもできます。make の繰り返しを避ける方法として覚えておきましょう。この cause の場合には後ろが to *do* になるので気をつけてください。

- They look like them にすると、them が何を指しているかわかりにくくなってしまいます。look a certain way に言い換えます。「一定の方法に見える」→「同じように見える」という意味です。

- so the problem gets worse を which <u>worsens</u> the problem にしてみましょう。さらに (thus) <u>worsening</u> the problem という分詞構文にできます。worsen の類義語 exacerbate を使うと語彙レベルが上がります。

These altered images on social media platforms cause many to believe that they must look a certain way, thus exacerbating the problem.

典型例

この問題はティーンエイジャーに特に大きな影響を与える。ティーンエイジャーはまだ自分が何者なのか知るようになってきているところで、友人やSNSからの同調圧力 (peer pressure) の影響も大きいからだ。

よくあるミス

✗

This effects teenager more than any other age group because, as they are still becoming to understand who they are, peer pressure from friends and SNS have a greater impact on them.

先生

- effects を affects にします。「影響」という意味の場合、affect が動詞、effect が名詞です。
- teenager は可算名詞なので、teenagers にします。
- becoming to understand を coming to understand にします。「～するようになる」という日本語につられて become to *do* にしないでください。
- SNS は social media にします。
- peer pressure という主語に合わせて have を has にします。

○

This affects teenagers more than any other age group because, as they are still coming to understand who they are, peer pressure from friends and social media has a greater impact on them.

ステップアップ

- Thisの後ろに前述の内容をまとめる名詞として、pressureを足すと読み手にやさしくなります。

- affect ~ moreの代わりに、hit ~ harderを使うと「大きな打撃を受ける」というニュアンスが前面に出ます。

- coming to understandをtrying to figure outにしてみましょう。

figure out は「数を出す」→「計算する」→「考え出す」、「理解する」と覚えておくと便利です。be trying to figure out wh-/ how というかたまりで使えるようにしておきましょう。例えば「どうやって彼女をデートに誘うか考えている」なら、I'm <u>trying to figure out</u> how to ask her out. になります。

- 「友人やSNSが与える同調圧力の影響がより大きい」という内容を、「AはBの影響を受けやすい」という意味のA be subject to B. で表してみましょう。ここでは比較級なので、they <u>are more subject to</u> peer pressure from friends and social media. になります。

◎ **This pressure hits teenagers harder than any other age group because, as they are still trying to figure out who they are, they are more subject to peer pressure from friends and social media.**

(4) まとめ

自己表現に役立つはずのテクノロジーのせいで、多くの人が自分の見た目に自信を持ちにくくなっているのは皮肉なことだ。

よくあるミス

✕ **It is ironic that because of the technologies that are meant to help us (to) express ourselves, many individuals have more difficulty to feel good about their appearance recently.**

先生

- to feel を (in) feeling にします。have difficulty (in) *doing* で「〜するのが難しい」という意味です。
- 「ついこの間」という意味の recently は現在形と一緒には使えません。these days や nowadays に変えます。today を使うこともできます。

> **It is ironic that because of the technologies that are meant to help us (to) express ourselves, many individuals have more difficulty (in) feeling good about their appearance today.**

ステップアップ

- the technologies を主語にしてみましょう。それを latest（最新の）のような形容詞で修飾します。

- 「〜することを意図されている」という意味の be meant to *do* の類義語に be designed to *do* があります。

- that are meant [designed] の that are を取ってみましょう。《関係代名詞＋be 動詞＋過去分詞》の場合には、過去分詞だけにした方が簡潔な文になります。

- help us express ourselves はやや冗長なので、foster self-expression にします。「促進する」という意味の foster は encourage や promote の類義語です。foster [encourage/promote] ＋名詞を使うと、《help 目的語(O) ＋補語(C)》の繰り返しが避けられます。

- 《make OC》で続きを書くと、can make many individuals feel less good about their appearance になります。good を confident にするとより具体的になって語彙レベルも上がります。

- today という副詞を文末に置く代わりに、many individuals (of) today という形で、名詞の後ろに置きます。「現代の」という意味で形容詞的に many individuals を修飾する形です。

It is ironic that the latest technologies designed to foster self-expression can make many individuals today feel less confident about their appearance.

In the 21st century, the number of people who are discussing lookism is increasing. Although ads and media accept more diverse forms of beauty now, lookism is getting worse for regular people. This is partly because we can access photo-editing apps and change our looks in pictures easily. When these altered pictures spread on social media platforms, many tend to believe that they must look like them, so the problem gets worse. This affects teenagers more than any other age group because, as they are still coming to understand who they are, peer pressure from friends and social media has a greater impact on them. It is ironic that because of the technologies that are meant to help us (to) express ourselves, many individuals have more difficulty (in) feeling good about their appearance today. (134 words)

In the 21st century, more people are discussing lookism. While media and advertisements embrace more diverse forms of beauty now, looks-based discrimination is worsening for the general public. This is partly due to the prevalence of photo-editing apps that allow users to change their looks in photos easily. These altered images on social media platforms cause many to believe that they must look a certain way, thus exacerbating the problem. This pressure hits teenagers harder than any other age group because, as they are still trying to figure out who they are, they are more subject to peer pressure from friends and social media. It is ironic that the latest technologies designed to foster self-expression can make many individuals today feel less confident about their appearance. (127 words)

訳 ▶ 21世紀に入り、ルッキズムについて語る人が増えている。メディアや広告が今多様な美を受け入れている一方で、一般大衆にとってはルッキズムの問題は悪化している。その一因は、画像加工のアプリが広まり、簡単に写真うつりを変えられることにある。SNS上にこのような加工された画像があるせいで、そのような見た目でなければならないと多くの人が思い込み、問題が悪化してしまうのだ。このようなプレッシャーは、他の年齢層以上にティーンエイジャーに大きな影響を与える。なぜなら彼らはまだ自分が何者なのかを理解しようとしている最中で、友人やSNSの同調圧力の影響が大きいためだ。自己表現を促進するために開発されたテクノロジーで、現代の多くの人が自分の外見に満足しにくくなっているのは皮肉なことだ。

レベルアップ① ネイティブのアイデア

★カジュアルな表現を多く含む言い換えです。

Appearance-based discrimination has become a hot topic of discussion in the 21st century. Although media and advertisements have made strides in representing a more diverse range of beauty, the same does not hold true for everyday people. In fact, things have gone downhill. This backsliding comes partly from the ubiquity of photo-editing apps to alter users' appearance with the touch of a finger.

Lookism is exacerbated when people share photoshopped images on social media, fostering the belief that everyone must fit a specific mold of beauty. Teenagers are especially susceptible. Blossoming and discovering their true selves, adolescents are easily swayed by the influence of friends and social media. Paradoxically, the very tools created to aid self-expression are, in practice, worsening the struggle of many individuals to feel comfortable in their own skin. (132 words)

語注

appearance-based 外見に基づいた／discrimination 差別／make strides in ~ ～において進歩する／go downhill 悪化する／backsliding 後退／ubiquity 偏在／photoshop 画像を加工修正する／specific 特定の／a mold of ~ ～の型／susceptible 影響を受けやすい／blossom 成長する／adolescent 思春期の若者／sway ～を揺さぶる／paradoxically 逆説的に

訳

21世紀に入り、容姿による差別が注目の話題になっている。メディアや広告は進歩し、これまで以上に多様な美が表現されるようになってはいるものの、同じことが一般人について言えるわけではない。実際には、状況は悪化しているのだ。この後退の一因は、指一本で容姿を変えられる写真編集アプリが普及したことにある。加工された画像がSNSで共有されると、誰もが特定の美の型にはまらなければならないと思い込むようになり、ルッキズムが悪化する。ティーンエイジャーは成長期で自分探しをしている段階におり、容易に仲間やSNSの影響に左右されやすい。逆説的だが、自己表現を助けるために作られたまさにそのツールのせいで、実際には、多くの人が自分らしくいることに心地よさを感じにくくなっているのだ。

● ライティングで同じ単語を何度も繰り返すのは避けたいものです。特定の単語の同義語が見つからない場合は、その単語の意味を説明してみてください。例えばルッキズムの同意語が思い浮かばない場合には、「外見に基づいた差別」のような説明を、discrimination based on appearance や discrimination on the grounds of appearance のような英語にしてみます。少し冗長ですが、単語を重複して使うよりは賢明です。appearance-based discrimination のように、

よりコンパクトな表現にできると理想的です。

- a hot topic は「注目の話題」という意味です。少しフォーマルな言い方をすると、a widely discussed topic になります。激しい議論の対象になっているものなら、a controversial topic という言い方もできます。

- 「進歩する」の代表的な英語表現に make progress があります。progress は不可算名詞なので覚えておきましょう。類義表現は make strides で、A make strides in B. という形で使うことが多くあります。rapid, impressive, significant, tremendous のような形容詞でいろいろなニュアンスを加えることができ、例えば「その会社は新しいアンチウイルスソフトの開発で大きく前進した」であれば、The company has made significant strides in developing a new anti-virus software. になります。

- A hold true for B. で「A は B に当てはまる」という意味です。「過去の国際紛争で起こったことは、今起こっている戦争にも当てはまる」なら、What happened in past international conflicts also holds true for the ongoing war. になります。

- In fact の後ろの things は the situation の意味です。

- go downhill は「坂を下る」→「衰える」「悪化する」という意味で、get worse や worsen の言い換えです。話し言葉でも書き言葉でも使います。例えば、「45年連れ添った妻が亡くなると、彼の健康は悪化し始めた」なら、After his wife of 45 years passed away, his health started to go downhill. になります。フォーマルな類義語に worsen と deteriorate があります。対義語は get better や improve です。

- A come from B. で《A ＋動詞（V）because B ＋動詞（V）》に近い意

味を表せます。例えば、「メンタルヘルスの問題が増加しているのは、将来に対する不安が高まっていることが一因だ」なら、The rise in mental health issues <u>comes partly from</u> increased insecurities about the future. となり、《A+V because B+V》という形の The number of mental health issues is increasing partly because people are more worried about the future. と比べて同じ内容を簡潔に表しています。A come from B. の類義語として、A stem [derive] from B. や A be attributable to B. も覚えておきましょう。

- the ubiquity of ~ は「〜が至る所にあること」という意味の名詞のかたまりです。例えば「この国での犯罪が深刻化しているのは、銃器が至るところにあるのが原因だ」なら、Escalating crime in this country stems from <u>the ubiquity of</u> firearms. になります。Escalating crime in this country is attributable to <u>the ubiquity of</u> firearms. にすることもできます。

- 「簡単に」という意味の副詞には easily や with ease がありますが、ここでは「指で触れるだけで」という意味の with the touch of a finger を使ってイメージが浮かびやすいようにしています。

- 《A foster the belief that S ＋ V》は、A make people believe that SV. の言い換えです。例えば、「多様な文化や言語に触れる機会が限られていると、自国の文化こそが優れていると思い込むようになる」なら、Limited exposure to diverse cultures and languages <u>fosters the belief that</u> *one*'s own culture is superior. になります。

- ここでの blossom は自動詞で「開花する」→「成長する」という意味です。blossom into ~ にすると、「開花して〜になる」という意味になります。例えば、「私たちが立ち上げたベンチャーは花開き、

グローバルに展開する活気ある企業となった」なら、Our startup business has <u>blossomed into</u> a thriving company with a global presence. になります。この into は変化の結果を表しています。

- A be susceptible to B. は A is likely to be influenced by B. の言い換え、つまり「A は B の影響を受けやすい」という意味になります。「これらの植物は病気に弱い」なら、These plants <u>are susceptible to</u> diseases. になります。affect や influence を使わずに「影響」という内容を言えるようにしておくと、要約問題で言い換えが必要な場合にも役立ちます。

- 他動詞 sway（〜を揺さぶる）を受動態にして A be swayed by B. にすると、「A は B に揺さぶれらる」→「A は B に左右される」という意味になります。A is influenced by B. の類義表現です。「総理は、嘘やプロパガンダに振り回されないよう国民に呼びかけた」なら、The prime minister urged his people not to <u>be swayed by</u> lies and propaganda. になります。

- very は形容詞や副詞を強調する副詞の役割を果たすことが多いのですが、ここでは名詞を強調する形容詞になっています。例えば「まさに彼女こそが、私がずっと探し求めていた人なのだ」であれば、She is the <u>very</u> person I've been searching for all my life. になります。

- 「理論的には」という意味の in theory の反意語が、「実際には」という意味の in practice です。「理屈の上では、スピーキングの授業を増やせば英語力は伸びるのかもしれないが、実際には、他の要素がおろそかになり、うまくいかないことが多い」なら、While <u>in theory</u>, more speaking classes may boost English proficiency, <u>in practice</u>, neglecting other elements often limits success. になります。

- be comfortable in *one*'s own skin は「身体的にも精神的にも、ありのままの自分を受け入れて、心に余裕のある状態」のことです。

レベルアップ② フォーマルな表現

The 21st century has witnessed lookism, a form of appearance-based discrimination, gaining more attention as a critical issue. Increased diversity in media and advertising indicates a significant improvement in beauty bias on a commercial level. However, the problem is on the rise among the general public. This is partly due to the excessive use of photo-editing apps that allow users to alter their images with a few taps and swipes. The proliferation of such digitally enhanced images on social media platforms has contributed to the perpetuation of unrealistic standards of beauty, thereby exacerbating the problem of lookism on an individual level. Teenagers bear the brunt of this pressure; their developing self-image and self-esteem make them more vulnerable to peer pressure from both real-life and online friends. It is ironic how the technological advances designed to encourage individual expression have intensified the struggle of many to embrace their true selves. (149 words)

語注
witness 〜を目撃する／taps and swipes タップとスワイプ／proliferation 拡散／enhance 〜をよりよくする／perpetuation 永続させること、不滅にすること／thereby それによって／bear the brunt of 〜 〜の影響をまともに受ける／self-esteem 自尊心・自己肯定感／vulnerable 影響を受けやすい／intensify 〜を増大させる／embrace 〜を（積極的に）受け入れる

21世紀に入り、外見に基づいた差別の一種であるルッキズムが、重要な問題として注目されるようになった。メディアや広告に多様性が増したことで、商業レベルで美に関する偏見は大きく改善したように思える。しかし、一般大衆の間では問題は悪化している。数回タップしたりスワイプしたりするだけで画像を加工できる写真編集アプリが乱用されているのがその一因だ。そのようなデジタル処理で見栄えをよくした画像がSNSで拡散されることで、非現実的な美の基準が定着し、個人レベルでのルッキズム（という問題）が悪化してきた。この圧力に誰より苦しんでいるのが10代の子どもたちだ。自己像や自尊心が発達途上で、実生活とオンラインの仲間の両方からの同調圧力の影響を受けやすいためである。多くの人は本当の自分を受け入れるのに苦労するものだが、自己表現を促進するために考案された技術的な進歩がそれに拍車をかけることになるとは、何とも皮肉なことだ。

- witnessは場所や時代を主語にして、「〜を目撃する」つまり、「〜の場となる」という意味で使えます。例えば、「20世紀には血生臭い戦争が多々起こった」であれば、The 20th century witnessed numerous bloody wars.になります。「日本では急速に高齢化が進んでいる」なら、Japan has witnessed the rapid aging of its population.になります。本文ではwitness ~ doingという《動詞(V)＋目的語(O)＋補語(C)》の形になっています。

- 《more＋名詞》で「〜が増えること」や「〜が増えたこと」という意味の名詞のかたまりが作れます。例えば「多様性が増したこと」ならmore diversityにできます。このmoreをincreasedにしてincreased diversityにすると、さらにフォーマルな響きになります。「人気が高まったからといって、必ずしも質が高いとは限らない」であれば、Increased popularity does not necessarily mean high quality.になります。

- on the riseはincreasingやmore prevalent（さらに蔓延する）の類義語です。例えば「インフレが進んでいるので、ほとんどの家庭では出費を抑えなければならなくなっている」なら、With inflation on the rise, most families are finding it necessary to cut back on their expenses.になります。

- with a few taps and swipes はeasilyやwith ease の言い換えです。「簡単に」というよりも「数回タップしたりスワイプしたりするだけで」という方が、イメージが浮かびやすくなります。

- proliferation は既出のprevalenceやubiquity の類義語です。the proliferation of ~ で「～の激増」や「～の拡散」という意味になります。

- contribute to ~ は「～の一因となる」という意味でネガティブな文脈でも使えます。「運動不足だと、いろいろな病気になりやすくなる」なら、Lack of exercise contributes to the development of various medical conditions. になります。A is one of the causes of B. という意味なので、A cause B. のニュアンスを弱めたものと言えます。前述のdue to を使って、The development of various medical conditions is partly due to lack of exercise. のようなB is partly due to A. にすることもできます。このような因果関係の表し方を複数覚えておくと、要約問題も書きやすくなります。

- A perpetuate B.（AはBを永続させる）はB continue because of A. の書き換えです。例えば「銃による暴力行為が絶えないのは、政府が効果的な対策を講じられないからである」なら、Gun violence has continued because of the government's inability to take effective measures. にできますが、これをさらにperpetuated を使って書き換えると、The government's inability to take effective measures has perpetuated gun violence. となります。名詞のperpetuation を使うことも可能で、上の例文ならThe government's failure to take effective measures has led to the perpetuation of gun violence. という文ができます。

- bear the brunt of ~ は「(悪い状況の影響を)誰よりも被る」という意味です。brunt（ほこ先）が刺さったら大けがをしてしま

うことが由来です。例えば「最近の物価上昇は低所得者層に悪影響を及ぼしてきた」なら、Recent price increases have <u>had a negative</u> effect on low-income families. になります。この意味をbear the brunt of ~ を使って強めたのが、Low-income families have <u>borne the brunt of</u> recent price increases. になります。A have a negative effect on B. をB bear the brunt of A. にすると被害の悲惨さを強調できるということです。

- A be vulnerable to B. はA be easily affected by B. の言い換えで、「AはBによって傷つけられやすい」→「AはBに弱い」という意味になります。Bには基本的にネガティブなものがきます。例えば、「沖縄は台風の影響を受けやすい」であれば、Okinawa <u>is vulnerable to</u> typhoons. になります。

- 最後の文のようにItが仮主語になっている場合には、後ろにthat節が来ることが多いのですが、thatの代わりにhowを使うことで、感情を込めることができます。例えば、「彼が一瞬で複雑な数学の問題を解けるのは驚きだ」であれば、It is amazing <u>how</u> he can solve a complex math problem in an instant. にできます。

［著者］

鈴木健士（すずき・たけし）

千葉県生まれ。英国立バース大学大学院修了。トフルゼミナール英語科講師・通訳者・翻訳者。国際イベントでの通訳・翻訳のほか、宇宙航空研究開発機構（JAXA）のウェブサイト、NHK WORLDの英訳を行うなど、「ランゲージサービスプロバイダー」として幅広い分野で活躍。通訳翻訳者×予備校講師の二刀流の経歴を活かした、日英の違いに精通した指導力に定評がある。著書に『ここで差がつく! 英文ライティングの技術』（テイエス企画）、『アメリカ人教授に学ぶ 英文ライティングのメタモルフォーゼ』（KADOKAWA）、訳書に『CD2枚付 世界を変えた感動の名スピーチ』（KADOKAWA）などがある。

［英文執筆協力］

Taka Umeda（タカ・ウメダ）

シドニー在住の日系オーストラリア人。バイリンガル英語講師。CELTA取得。自身が運営するInspire Englishにて英会話レッスンを行うほか、英検®ライティング・スピーキングの指導経験も豊富。趣味は料理とアニメ鑑賞。

［英文校閲］

James M. Vardaman（ジェームス・エム・バーダマン）

早稲田大学名誉教授。

文法を正しく使うための 英語思考のレッスン

2023年12月20日 初版発行

著者	鈴木健士　© Takeshi Suzuki, 2023
英文執筆協力	Taka Umeda　© Taka Umeda, 2023
発行者	伊藤秀樹
発行所	株式会社 ジャパンタイムズ出版
	〒102-0082 東京都千代田区一番町 2-2 一番町第二 TGビル 2F
	ウェブサイト　https://jtpublishing.co.jp/
印刷所	株式会社光邦

本書のご感想をお寄せください。
https://jtpublishing.co.jp/contact/comment/